どうする、ニッポン

失った30年と
コロナ後の社会

秋葉純次郎
技術士（建設部門）

Parade Books

はじめに

　2019年の暮れに中国で未知の感染症が発生したらしいという報道がありました。年明けに世界保健機構（WHO）は未知の感染症は新型のコロナウイルスによるものだということで、この感染症をCOVID-19と名付けました。新型コロナウイルスは短期間で世界中にまん延し、各国は手探り状態でCOVID-19対策を始めました。日本政府も独自の新型コロナウイルス感染症対策を進めました。メディアが外国の対策状況を毎日報道したので、私たちは彼我の新型コロナウイルス対応の違いを知ることができました。報道される他国の状況と比べると、医療に限らず日本社会の"後れ"がいろいろな分野で明らかになりました。特に、行政におけるデジタル化の後れは顕著でした。また、先進国から日本が滑り落ち始めているような姿が繰り返し報道されたので、日本社会が世界から3周くらい後れていることが私たちの実感するところとなったのです。

　振り返ると、日本が高度成長から安定成長へと進む時代の経済を支えてきた中心的存在は「モノつくり」産業でした。輸出の柱である製造業のお陰で円は強くなり、日本のGNPは1968年に世界2位となり2010年までの42年間2位を保ちました。その間、"日本のモノは高いけれどもいい"という評価が定着していました。当時、日本のモノが高い

のは“日本人の人件費が高い”からだといわれたものです。日本が経済大国になったので円はますます強くなり、バブル経済（1986年ころから）になりました。私たちは異常な経済を経験したのです。社会全体がバブル景気に浮かれていた裏では、製造業が後続国との激しい競争をしていました。後続国が日本の「モノつくり」を習って、より良いものをより安く提供し始めるようになっていたからです。

　バブル経済の崩壊（1991年）にともなって、日本中の産業が不良債権の処理に追われました。高度経済成長期の金融業は「護送船団方式」といわれて“みんなで一緒に”産業を支えてきた絶対安全神話が崩れ去って負債だけが残ったのです。“日本経済は21世紀には回復するだろう”という楽観的な予想はありました。しかし、海外発の経済危機の影響もあって日本経済は回復しませんでした。多くの会社が負債の後片付けに追われて、産業の構造改革はできませんでした。バブル崩壊以降の日本は失われた10年といわれましたが、現在も日本経済の停滞は続いています。停滞は相対的に後れることを意味しますから、日本は30年を失ったのと同じです。

　2013年に日本銀行はデフレを脱出して経済を発展させるために、消費者物価指数の2％上昇を目標にして“異次元”と言われた金融緩和政策を導入しました。金融緩和政策は10年以上続けられましたが、成長しない経済は今も続いています。日本銀行が10年以上続けた“異次元”の金融緩和政策による副作用が見えているのです。日本銀行の総裁は4

月に交代しましたが、次の一歩をすぐには踏み出せない状況にあります。このままの社会運営が続けば日本社会の停滞は続いて、世界からますます後れていくことになって先進国から脱落してしまいます。

　2022年2月24日にロシアがウクライナに侵攻しました。侵攻の影響を受けてエネルギーや食料の供給が不安定になり、原材料価格も上昇して輸入価格が高騰しました。輸入価格の上昇は企業者物価に反映し、先進諸国の金利引き上げに伴う為替の円安も影響して消費者物価を上昇させました。消費者物価指数は2022年12月に前年比で4%を越える上昇を記録しました。戦時下ともいえる2023年の世界経済はますます不確実性を増して、先行きの不透明感はぬぐえません。とはいえ、先進諸国は新型コロナ感染症がまん延した社会から立ち直りつつあります。

　近い将来に日本のGDPはドイツに抜かれて4位に落ちることが予想されています。インドのGDPはイギリスを抜いて5位になりましたから、インドに抜かれて日本が5位になる日はそう遠いことではないかもしれません。日本が先進国グループから脱落するときが、現実味を帯びてきているのです。

　1980年代の日本は経済大国で"Japan as Number 1"と言われて、多くの海外駐在員たちが日本株式会社の"恩恵"にあずかっていました。東南アジアでは、日本株式会社の"恩恵"を背景にした駐在員のふるまいに"おごり"が見え隠れすることも珍しくありませんでした。彼らの中には「もう

欧米から学ぶことはない」と言う人までいました。しかし、本当に私たちが学ぶものはもうないのでしょうか。

　昔から"親苦、子楽、孫乞食"といいます。戦後の昭和時代は戦争を生き抜いた世代と団塊世代が苦労して先進国の仲間入りをしました。次のX世代は猛烈に働く団塊世代の後ろ姿を見て育ちましたから、日本がどのように"Japan as Number 1"といわれるようになったのかを体験的に知っています。Y世代はバブル経済に浮かれる大人たちを見て育ちました。バブルがはじけて一気に生活が苦しくなった時代を経験しました。本来ならば、今ごろは中堅として社会を支える世代ですが、現実は就職氷河期の苦労から抜け出せないで、日々の生活に困窮する人が少なくありません。彼らはインターネットが普及する前の最後の世代です。Z世代は物心ついたときからインターネットのある世界で育ちました。デジタル文化のSNSを駆使して社会へ参加し始めています。Z世代は決して楽な生活をしているわけではないものの、自分勝手に生きている今の生活にあまり不自由は感じていないようです。多くのZ世代が選挙の投票に行かないのは現状を変えたくないからか、社会への対処の仕方がわからないからではないでしょうか。

　"団塊の世代"が中堅として実務を担っていたころ、社会を運営していた"おじさん"世代（当時の50〜60歳代）の方たちには戦争を経験した方や、戦時中に子ども時代を過ごした方が多くいらっしゃいました。彼らは敗戦により世界から否定された日本の貧しい時代を生きて"いつか世界

に認められたい"という希望をもって猛烈に働きました。そして、日本を"Japan as Number 1"と呼ばれるようになるまでに発展させたのです。今、彼らは80〜90歳代になって一線から退いています。世界中の"団塊の世代"は学生のころ、反戦デモや学生運動や改革に燃えていました。"団塊の世代"は戦前と戦時中世代が社会をリードする中で、実務の最先端として奮励努力し"おじさん"世代の生き方を理解して彼らを支えてきたのです。次の世代（当時の小中学生）は燃える"団塊の世代"を"なぜそんなに燃えているの"と冷めた目で見つめていました。彼らが社会へ出てきたころ"団塊の世代"は彼らの"しらけ"を理解しようと努めました。団塊の世代は前と後の両方の世代を理解して、両世代のかけはしとなっていたのです。

　"しらけ"に続く世代が、今や社会をリードする50〜60歳代の"おじさん"世代になりました。彼らは若い時から"団塊"と"しらけ"に続くふりをして、我慢の生活を続けてきたのです。彼らが社会へ出てから30年が過ぎて"団塊"や"しらけ"が前の世代から引き継いで守ってきた権益をやっと手にするときがきたのです。当然、彼らは既得権を引継いで享受しなければと思っています。やっと手に入れた既得権ですから、彼らが簡単に手放すとは思えません。

　現在の日本を修正して"後れ"を取り戻そうとするならば、今の社会を実際に動かしている35〜45歳くらいの世代が立ち上がらなければなりません。彼らが動かない限り日本の復活は難しいのです。現在の日本の立ち位置を正しく理

解すれば、彼らが日本の空気を変えることは決して困難ではありません。なぜなら"みんなで一緒に"を掲げて駆け抜けてきた昭和の空気と同じ手法で現在の"後れ"を取り戻すことはできそうにはありませんから。

「どうする、ニッポン」を読んでいただきたいのは、今の高校や大学生の方たちです。彼らは日本がG7の一員として先進国の仲間になったいきさつを知りません。また、彼らは日本が世界から後れて先進国グループから脱落し始めていることを知りません。"3周後れ"と言われている今の日本にかつてのような輝きを取り戻すためには、どのように日本の文化が形成されて、どのように戦後の廃墟の中から復活してきたかを彼らに知ってもらうことが必要ではないでしょうか。

　本書が令和時代をどのように生きるかのヒントになれば幸いです。

「どうする、ニッポン」

目次

❸ 今そこにある課題

❹ どうする、ニッポン

おわりに

① 駆け抜けた昭和

　日本全体が先進国を目指して猛烈に走り続けた時代を振り返ってみます。

1.1　昭和と経済大国

　奇跡ともいわれた高度経済成長をして、経済大国になった日本を復習します。

1.1.1　戦後の復興

　1950年に勃発した朝鮮動乱（戦争）による特需が、日本の戦後復興を助けました。朝鮮戦争は朝鮮民主主義人民共和国（北朝鮮）が大韓民国（韓国）へ侵攻して始まりました。連合国が応戦すると中国の参戦があって1953年7月の休戦まで戦われました。日本の産業は朝鮮戦争の特需によって大きな発展を遂げられました。日本はアメリカを中心とする国連軍の支援基地として多様な物資の供給を行ったので、朝鮮戦争による特需によって日本の産業界は早期に復活できたのです。日本が国連軍の後方基地となったので国内の復興は順調に進みました。日本の産業は朝鮮戦争が終わったとき、戦前の生産規模を超えるくらいまで成長できたのです。1956年の経済白書は"もはや戦後ではない"

と宣言しました。

　復興に伴って物価はどんどん上がりました。たとえば、1952年に森永ミルクキャラメルの16粒入の黄色い縦長の箱が一箱20円になって、半分の8粒入の箱が10円で売り出されました。森永のミルクキャラメルは現在も売られています。縦帯はありませんが、昔と同じ黄色い縦長の箱で12粒入りが108円（7.2倍）です。

　日本の戦争状態を終結するため1951年にサンフランシスコで講和会議が開かれました。会議には50か国に招請状が送られましたが、招待されても出席しない国がありました。しかし、連合国をはじめ会議に出席した国との間でサンフランシスコ平和条約が締結されました。1952年に条約が発効し日本は主権を回復しました。独立した日本は国内の復興に合わせて、国際社会の一員として外交活動を始めるようになりました。ソ連は講和会議に出席しましたが、平和条約には調印しませんでした。戦後、アメリカを盟主とする自由主義・資本主義の西側と、ソ連を盟主とする社会主義・共産主義の東側の対立が始まっていたことが背景にあります。アメリカとソ連の対立は"東西冷戦"といわれました。1956年に日本とソ連は共同宣言に合意して国交を回復しましたが、いまだに平和条約は交わされていません。双方の平和条約と共同宣言の条文解釈の違いは、北方領土問題が解決していない理由の一つです。

　話は変わりますが"東西冷戦"さなかの1957年にソ連が人工衛星を打ち上げました。宇宙はまだ夢の世界だと思われ

ていた時に、スプートニク1号を打ち上げたのです。アメリカをはじめ私たちはソ連の人工衛星の打ち上げ成功に驚きました。アメリカは宇宙開発競争でソ連に後れを取りましたが、翌年1月にエクスプローラー1号の打ち上げに成功しました。人工衛星は肉眼でも見られたので、私たちは寒い冬の夜空を見上げて、小さな点のような光が星空の中を音もなく動くのを見たものです。

　戦後の復興から今日まで、日本はアメリカのお世話になっていますから、日本が参考にしてきたのはいつもアメリカでした。しかし、日本がアメリカをお手本とするには、アメリカは大きすぎるようです。アメリカの歴史は日本とは違いすぎます。その点で、ヨーロッパの先進諸国は国の大きさも歴史の長さも日本と遜色ありません。明治政府はアメリカも視察していますが、参考にしたのはヨーロッパの国が多かったようです。今もイギリス、フランス、ドイツ、イタリアなどはそれぞれの文化を守って、決してアメリカナイズされていません。彼らが伝統的な社会を維持しているところは、日本の“後れ”を取り戻す戦略を立てるときに大いに参考になります。私たちが日本の文化に自信をもって“いかに発展させていくか”が、今の“後れ”を取り戻すカギです。私たちが伝統的な社会を進化させて“後れ”を取り戻すためには、停滞してよどんだ空気を変えることが不可欠です。

1.1.2　所得倍増計画

　池田勇人首相（在位1960年〜1964年）は "10年で国民の生活水準を西欧の先進国並みに引き上げる" という目標を立てて「国民所得倍増計画」を閣議決定しました。計画の内容は、国内と海外を問わず国民が生産するモノやサービスの付加価値の合計額である国民総生産（GNP）の26兆円への倍増です。単純に国民所得を倍増する計画ではありませんが、ネーミングが良かったので国民の話題となりました。

　余談ですが、池田首相は大臣時代に "貧乏人は麦を食え" とか "私は、ウソは申しません" とか失言とも取られかねない発言を繰り返していましたので「国民所得倍増計画」は本当に収入が倍になる政策だと思った国民も少なくありませんでした。

　日本が先進国並みに成長するためには、産業の近代化と工業化で輸出を増やすことが必要で、製造業の発展は不可欠でした。科学技術分野の人材を育てることと、製造業を発展させて輸出を増やすことは喫緊の課題でした。産業界は「モノつくり」に従事する人が大量に必要になっていたのです。資源の少ない日本は、人を育てることが欠かせませんから、池田首相は「人つくり」を掲げて日本を引き上げようとしました。「人つくり」の方針に従って、義務教育課程の学校ではかつてにも増して "みんなで一緒に" の教育を強く行って、均一で勤勉な人たちを社会に大量に供給しました。

毎年3月になると、多くの義務教育を終えた人が就職のために、地方から大都市へ移動しました。大勢の若者たちの移動は"集団就職"といわれて春の風物詩となりました。"集団就職"によって、若年層の都市部への集中と地方の高齢化が始まったのです。また、産業界は実践的な技術者を必要としていたので、要請に応じられるように工学系の技術者の養成を目的に1962年に5年制の国立高等工業専門学校が開校されました。

　朝鮮戦争の特需に続く「国民所得倍増計画」に基づいた政策の実行と昭和世代の猛烈な働きによって、日本は高度経済成長期を迎えました。「国民所得倍増計画」にうたわれた産業の発展と産業を支える「人つくり」がうまくかみ合って機能したからです。日本は戦争で多くの有能な人を失いましたし、戦後に公職を追放された方も少なくありませんでした。少ない人材の中で、新しく着任した比較的に若い人が責任ある立場を任されるようになりました。彼らは"責任感"にあふれ組織に忠誠を誓って働きました。彼らの目標は国際的に認められることと同業者のなかで1番になることでした。World Baseball Classic（WBC）の"サムライジャパン"のように、勝利を目指して"みんなで一緒に"一所懸命働きました。2番ではダメなのです。

　日本を挙げて「国民所得倍増計画」を推進した結果、GNPは1964年の東京オリンピック開催に合わせたかのように約4年で倍増しました。実質国民所得は約7年後の1967年に倍増しました。高度経済成長期には毎年10％を超える成

長を成し遂げて、多くの国民が"自分たちの家庭は中流だ"と思うようになりました。私たちは少なくとも先進諸国に追いつきつつあることを実感したのです。

　一人当たりの国民所得は倍増しましたが、先進国と比べると決して多くはありませんでした。私たちの年間の労働時間数は、とても先進国並みと言えるものではなく、過重労働とも呼べるものでした。しかも、まだまだ貧しかったというのが実態で、引き続き私たちは"追いつき追い越せ"と毎日の仕事に精励努力しました。電器産業が次々と世に新製品を送り出して"世界初"とか"世界最高""世界最小"をうたったのもこのころです。高度経済成長期の1964年にはアジア初となる第18回東京オリンピックを開催し、1970年には大阪で「人類の進歩と調和」をテーマにした万国博覧会を開催しました。日本は二つの世界的なイベントの開催に成功して、先進国への仲間入りをする資格が十分にあることを世界に示しました。

1.1.3　高度成長の行き先

　戦後の日本経済の復興を確実にするために、より多くの会社が一緒に進めるように"みんなで一緒に"産業界を支える政策がとられました。大企業は分野ごとに10社ずつくらいあって、表面上はお互いに競い合って成長してきたのです。都市銀行の10社は出るものも後れるものも作らないという「護送船団方式」の政策に守られて、産業の着実な発展を安定的に支えていました。"みんなで一緒に"のもと

で高度経済成長をもたらしたのは「護送船団方式」に支えられた造船などの重工業や自動車、家庭電気製品などの製造業です。当時、円の為替はUS\$1＝￥360の固定相場制でした。1973年に変動相場制に移行すると、株価と円相場は上昇を続けました。日本は強くなる円とともに経済大国への道を突き進み"エコノミックアニマル"と呼ばれました。2度のオイルショック（1973年と1979年）による急激なインフレと、日米経済摩擦などを乗り越えて安定的に成長しました。1980年代の"Japan as Number 1"といわれる時代を迎えたのです。

　高度経済成長は1955年から1973年まで18年間にわたって続きました。その間、GNPは毎年10％を超える成長を記録しました。1968年には当時の西ドイツを抜いて、世界2位になったのです。2位になったとはいえ、日本のGNPは1,419億ドルで1位のアメリカ（8,606億ドル）の約6分の1でした。一人当たりの国民所得は19位（1,110ドル）でアメリカ（3,543ドル）の3分の1でした。GNPは世界2位でしたが1970年代の年間労働時間は2,100時間前後で先進諸国（1,800時間前後）に比べて長く、毎月50時間以上の残業をしなければ先進国と同等の生産が上げられなかったのです。しかも、約半分は記録や支払いのない"サービス残業"だったといわれています。日本のGNP世界2位は多くの人が多くの時間をかけて得たものなのです。私たちは実生活が豊かだとは感じられませんでした。

　余談ですが、1979年にECが出した非公式内部資料「対

日経済戦略報告書」の英語版で使われた「ウサギ小屋（rabbit hutch）」を"狭い家に住んで、働くことの他に趣味がなく、豊かさの感じられない日本人"と解釈して自嘲気味に流行語となったことがあります。本来の意味はフランスの"狭くて画一的な都市型集合住宅"を意味するフランス語（cage a lapins）で、ウサギ小屋そのものではなかったのですが。

　学校においても、より多くの人が"みんなで一緒に"成長することを教育の柱としていました。貧しい時代を"みんなで一緒に"過ごし豊かになっても、どの分野でも一つの仕事をみんなで分かち合う形態は推奨されてきました。十分ではなかったかもしれませんが、みんなが食べていける社会が作られたのです。高度成長に伴って多くの国民が中流の生活をおう歌できるようになったので"みんなで一緒に"政策は支持されました。みんなで猛烈に働いて、高度成長を成し遂げて、先進国と肩を並べて、みんなが中流意識を共有する時代が迎えられましたから"みんなで一緒に"を掲げた政策の実践は素晴らしかったといえます。

　高度経済成長の下で円はますます強くなり、強すぎる円は"円高不況になるかもしれない"と恐れられました。外国のものが安く見える金余り状態は、マネーゲームの様相を見せました。社会の金余り状況は昭和から平成へと時代が代わっても続きました。1980年代後半は国内では地上げによる地価の高騰や株価の上昇を招いて、企業や個人が海外の不動産を買いあさりました。しかし、異常なバブル経済

が長続きするはずはありません。日本銀行が金融引き締めに動くと急激に信用収縮が起きて1991年にバブル経済は崩壊しました。全産業がバブル経済の後片付けに追われ、金融企業の破綻も起きた1990年代は失われた10年と言われました。バブル崩壊後30年たった今も、成長しない日本の社会は続いています。

　1993年になると国際比較としての国民総生産（GNP）の概念はなくなり、国民経済計算体系（SNA）に従う国民総所得（GNI）の概念が導入されました。GNPに代わって、一定期間内に国内で生産されたモノやサービスの付加価値の合計額を表す国内総生産（GDP）が使われるようになったのです。国力を測る物差しとしてGDPが使われるようになっても、日本は世界2位を保ち続けました。2010年に日本のGDPは中国に抜かれて3位になりました。平成から令和に代わっても日本社会が成長できないのは、時代に合わせた社会づくりができなかったことが大きな理由です。30年の停滞は相対的には後退と同じで"3周後れ"の日本になってしまいました。予想では、近い将来にドイツに抜かれて4位になるそうです。後ろからはイギリス（6位）を抜いたインド（5位）が追いかけています。

1.1.4　高度成長期のおごり

　2022年の物価変動影響を含む日本の名目GDPは、約4.4兆億ドルで世界第3位です。1位はアメリカの約26.8兆億ドルで、2位は中国の約19.3兆億ドルでした。EUは約17兆億

ドルです。日本のGDPは世界3位ですが、経済規模はアメリカの6分の1で中国の4分の1でしかありません。人口はアメリカが3.32億人で中国は14.25億人、EUは4.46億人です。日本は1.23億人です。一人当たりの名目GDPを見てみますと2022年では30位でした。アジアではシンガポールや香港の下で韓国や台湾の上に位置しています。一人当たりのGDPが低いということは、生産活動に従事する人の生産性が低いことを想定させます。大半の人が一つの仕事に多くの時間をかけているから労働生産性が低いのです。外国で仕事をした経験のある人の話では"日本人に同じ仕事をやらせると担当する人数が多いし時間がかかりすぎる"ということでした。1964年の東京オリンピックと同じ年に海外渡航が自由化されて、多くの企業人が世界中へ出かけるようになりました。日本企業も海外に駐在員拠点を設けて本格的に経済活動を始めていましたから、外国の話が直接聞けるようになっていたのです。

　日本のモノは、多少高くても優れているので"Made in Japan"は品質保証の代名詞となって世界中の人の心をつかみました。世界中の消費者が使い勝手が良くて気持ちがいい日本製のモノを争って手に入れようとしました。駐在員たちは現地で猛烈に働きました。彼らはレストランに入るとすぐ「ビール」と言って、つまみは「まず、これと、これと……」と言ってぜいたくなオーダーをしました。往々にして生ぬるいビールが出てくると「こんなビール飲めるかっ」と叫びました。駐在員たちは集まれば大声でしゃべっ

て笑い、冷たいビールを一口飲んでは「フーッ、料理ま
だ？」と催促しました。我が物顔にふるまう彼らの姿は現
地の人たちの顰蹙をかったものです。

1.1.5 高度成長のひずみ

　労働時間についてみますと、1947年に制定された労働基
準法は1日8時間、週48時間労働（年間約2,500時間）が基
本でした。2022年の年間労働時間は1,607時間（世界30位）
で、ほぼOECDの平均に近いところまできました。ヨー
ロッパの先進諸国の年間労働時間の1,400〜1,500時間には
及ばないものの、彼らの1990年代の水準になりました。ち
なみに、アメリカの労働時間はOECD平均よりも長く1,700
時間以上で、日本よりも長いのです。日本は年間労働時間
に関する限り、もう働きすぎではありません。したがって、
最近の日本はGDP世界3位をほぼOECD平均の年間労働時
間で達成していますから、単純に生産に多くの人が多くの
時間をかけているとはいえないようです。しかし、具体的
な労働生産性は2021年のOECDのデータによると、日本の
時間当たり労働生産性は49.90ドルでOECD加盟38か国中
の27位です。一人当たりの労働生産性は81.51ドルでOECD
加盟38か国中の29位で、決して労働生産性が高いとはい
えません。製造業に限りますと、労働生産性は92.99ドル
でOECD加盟38か国中の18位となっています。製造業の
労働生産性は決して低くはありません。日本の労働生産性
が低いのは、「モノつくり」以外の分野、つまり、組織の管

理・運営での労働生産性が低いからと言われています。

　組織の管理・運営面での労働生産性が低いことは、見方によっていろいろな原因が考えられます。一つには付加価値の低いモノの生産が多いからかもしれません。働く人のアンケートでは、組織の管理や運営面の労働生産性が低い原因は“仕事のやり方が以前と変わらず、無駄な作業や業務が多いから”という回答が多くよせられています。2022年の日本のGDPは世界3位ですが、国民総所得（GNI）は下落傾向にあって伸び悩んでいます。これまで製造業と製品輸出に支えられてきた日本のGDPは限界を迎えているのです。「モノつくり」は有形と無形を問わず、これからも発展し続けて行くことは間違いありません。しかし、「モノつくり」という「ハードの技術」と車の両輪をなすべき組織の管理・運営という「ソフトの技術」の改善なしにGNIが伸びることは期待できません。

　2022年の世界競争力年鑑（IMD）によりますと日本は世界34位です。分野別は政府部門が39位、ビジネスは51位で東アジアでは8位です。日本の国際競争力の衰退は経済成長を「モノつくり」の技術（ハード）に頼りすぎてきたことにあります。「ハードの技術」で高度経済成長を成し遂げた成功体験が、「ハードの技術」で後れを取り始めたために進むべき道を見失っていることが原因です。もとより組織の運営や「人つくり」などの「ソフトの技術」をおろそかにしてきたことの報いというべきでしょうか。具体的には第1にIT分野での後れがあります。IT分野の技術開発は

製造業に頼っていましたが、後発国にシェアを奪われてしまいました。日本は一時期、半導体や液晶の製造で世界一のシェアを誇っていました。しかし、大量生産できる工場製品は後続国が日本製品と同等かそれ以上の品質でより安価な製造を始めると、瞬く間に優位性を失ってシェアを奪われて、商業的に成り立たなくなってしまいました。

　第2に世界の流れを読みきれなかった産業界にあります。品質の高い日本製品は世界中の消費者の心をとらえ販売を伸ばし続けてきました。工場製品を生み出す技術者たちは、モノとの対話を通じて"もっと消費者の気持ちに応えたい"を合言葉により良い製品を目指して開発してきました。世界の消費者が日本のモノを見て、触って、食べて、乗って満足することを目指して工場製品を生産し続けてきたのです。たとえば、自動車産業。すべての面で万人受けする車を市場に送り出すことで、高いシェアを取ってきました。環境問題に応えてガソリンでも電気でも動くハイブリッド車を開発してきましたが、世界の流れは電気自動車です。現在、日本の自動車産業は電気自動車の開発にかじを切っていますが、シェアを守ることは非常に厳しい状況にあるのではないでしょうか。ハイブリッド車と電気自動車の関係はテレビのハイビジョン開発の失敗経験を思い出します。日本がアナログの高品質テレビの開発に一所懸命になっていたころ世界の流れはデジタルに向かっていました。ハイビジョンは数年で無くなりました。

「モノつくり」の技術者と経営者に高度経済成長期の成功

経験と最先端を走っているという自負があって、謙虚になれなかったことが大きいのではないでしょうか。世界の流れを謙虚に受け入れず、人との会話で得られる情報をおろそかにしてきたことが一つの原因と考えられます。主にモノとの対話で成り立つ「モノつくり」は、車の両輪であるべき人との対話「ソフトの技術」をあまり重視してこなかったようです。

　問題は多くの人が日本の現状に至る根本原因を正しく認識していないところにあります。多くの人が日本はまだ世界のトップレベルにあると信じています。確かに日本が最先端を行く分野は少なくありませんが、今までと同じ社会の運営で復活できるでしょうか。私たちの本気度が試されています。日々好き勝手に生活できる現状は心地いいかもしれませんが、おしりに火がついていることを正しく認識しなければなりません。痛みを伴う手術が必要になるかもしれませんが、今始めれば遅すぎることはありません。今の自由な生活を変えてほしくないと思っているゆでガエル状態から抜け出さなければ、日本の復活はありません。

1.2　日本と先進国

　日本はアジアの先進国として、立ち居振る舞いを国際社会に示す義務があります。

1.2.1　先進国の文化

　1964年ころからアメリカは南北ベトナムの争いに本格的に関与し始めて、終わりの見えないベトナム戦争を続けました。その後、1973年のパリ協定に従ってベトナムから撤退しました。戦争疲れと経済の先行きに不透明感が増す中での撤退を受けて、ニクソン政権のシュルツ財務長官は工業化された主要民主主義国のイギリス、フランス、西ドイツの首脳をホワイトハウスに招いて会議を開催し、世界の経済的な課題を討議しました。シュルツ長官が工業化された主要民主主義国として、ヨーロッパの3か国を招いたとき、日本のGNPは世界2位でドイツは3位でした。4位のフランスは日本の約3分の2で5位のイギリスは約6割、イタリアは6位で日本の約半分でした。工業化された主要民主主義国のGNPを見る限りでは、日本は招待される資格が十分にあったといえます。しかし、シュルツ長官は日本を会議に招待していません。

　シュルツ長官の会議が開催されたころの"Made in Japan"製品は世界中で受け入れられており、アメリカが無視できないほど大きな存在感が日本にはありました。当時、日本はアジアで唯一の工業化された民主主義国でした。不透

明感を増す経済問題の話し合いに招待される資格が十分あったにもかかわらず、ホワイトハウスの会議には呼ばれなかったのです。水面下で外交交渉があったとすれば、日本を会議に招待しないことが話し合われたのかもしれませんが、日本から会議に出席を求めたことはなかったようです。イタリアに声をかけた様子もありません。イタリアは当時「危機の時代」ともいわれるほど政治的に不安定な状況にあったので、先進国脱落の危険性が懸念されていました。イタリアは政情が不安定という理由で招待されなかったのかもしれません。

　日本が招待されなかった理由として、ヨーロッパとアメリカが古代ギリシャ・ローマの文明を共通の基礎とした社会を形成していることが考えられます。彼らはラテンの文化を共有しているのです。彼らの文化に対して日本は古代中国の文明を手本として、独自に発展させてきた文化ですから、社会の運営手法が全く違います。当時の西洋にとって極東の日本はあまりにも遠く文化の違う国でした。理解しがたい未知の異国という雰囲気がありました。シュルツ長官が困難なテーマについて話し合おうとしたときに、最初に文化を共有するヨーロッパの国々を思い描いたことは想像に難くありません。彼らの共通の思想としてキリスト教の存在も影響したかもしれません。彼らはもし意見が違ったとしても、文化的に同じ背景を持っていますから、シュルツ長官は同じテーブルで話ができる人たちだという確信があったのに違いありません。

今もヨーロッパの学校にはラテン語の授業があります。各国の言葉にラテン語の単語や言い回しが生きているのです。お互いの言葉は違ってもラテン語の単語を使えば、意味が理解できますから通じ合えるのです。ヨーロッパは古代ローマの文化を共有していますし、アメリカはヨーロッパの文化をもってして開拓されました。ヨーロッパの人はもちろんのことアメリカの知識層の人はラテン語とラテン文化を理解しています。アメリカもヨーロッパの首脳もラテン文化を理解し、さらに教養として持っています。日本の首脳も知識としてラテン文化を理解されているでしょうが、教養の一部としての深さはいかがでしょうか。

　シュルツ長官が不透明感を増す世界経済について討議するために、工業化された主要民主主義国のうち古代ローマのラテン文化に共通の理解があるイギリス、フランス、ドイツに最初に声をかけたと想像できます。もう一つの理由はロゼッタストーンに見られるように、地中海を中心に発達した文字を横に書く文化です。文明が発達した地中海沿岸のオリエント（中近東）からオチデント（ヨーロッパ）と北アフリカは陸続きです。出来事を記録するとき、彼らは文字を横に書いたのです。横書きの書類しか知らないシュルツ長官が、公文書を縦書きにする文化の人たちと"同じテーブルで話し合えるだろうか"と悩んで"まずは文化を共有する人たちと"と思ったこともあったのではないでしょうか。

　高度経済成長期の日本はGDP世界2位を誇る工業化され

た主要民主主義国でしたが、ラテンの文化を基盤としていません。ヨーロッパは大航海時代に極東の島に、西洋のモノサシでは測りきれませんが、成熟した文明を持ち高度に文化の発達した日本を発見しました。時代は下って明治維新を経て開国したばかりの日本を、西洋の先進諸国は十分に理解しませんでした。双方の交流は進みましたが、西洋諸国は発達してきた道筋が全く違い独自の文化を持つ日本を、対等の付き合いができる国とは思いませんでした。日本は古代の中国から学んだ儒教の強い影響を受けて、独自の文化を育んできました。「武士道」はその集大成であったと考えられます。"日本は精神的には世界の一流国と同等にあることを理解してもらいたい"という思いが西洋社会を経験した新渡戸稲造をして「武士道」の執筆につながったことはまちがいありません。英語で書かれた「武士道」から、違う文化の人たちに日本の文化をわかってもらいたいという彼の希望に満ちた強い熱意を読み取ることができます。

　シュルツ長官は上記のホワイトハウスの4か国会議で、先進国首脳会議への日本のグループ入りを提唱しています。日本を先進国首脳会議のメンバーに入れることは、日本のGNPは世界2位ということで十分にその資格があったのですから、外交上は当然の判断だったといえます。当時のアメリカは西側の超大国ですが、独立してから約200年という歴史の浅い国です。歴史あるヨーロッパの3強国に1対3で対抗するよりも、アメリカの言うことを聞く日本を仲間

に入れて2対3にしておくことが役立つと考えたのではないでしょうか。アメリカはサンフランシスコ平和条約で独立した日本を外交上は対等に扱ってきましたが、実質的には属国同様の扱いをしてきています。外交では日本は常にアメリカの味方をしており、日本を仲間に入れておくことは"プラスにこそなれ、決してマイナスにはならない"という読みがシュルツ長官にあったことは否定できないのではないでしょうか。

1.2.2　先進国首脳会議

　1973年のシュルツ財務長官が開催した世界経済の課題についての会議を受けて、1975年に第1回の先進国首脳会議がフランスのランブイエでアメリカ、イギリス、ドイツ、日本を招いて開催されました。第1回先進国首脳会議を主催したフランスのジスカール・デスタン大統領は定期的に首脳会議を開催することを提案して、各国が毎年持ち回りで会議を開催することが合意されました。会議には招待されていないイタリアのモーロ首相が乗り込んできて、先進国首脳会議はG6になりました。しかし、イタリアの政治的に不安定な状況はその後も続いて、1978年にモーロ首相は極左テロ組織「赤い旅団」によって暗殺されています。

　余談ですが、日本の番がきて話を始めるというより書類を読み始めるとジスカール・デスタン大統領は新聞を出して読み始めたというニュースが流れたことがあります。

　第2回会議はアメリカ担当でプエルトリコのサンフアン

開催が決まりました。首脳会議はヨーロッパ勢が4か国となったので、フォード大統領はバランスを取るためにカナダの参加を要請しました。カナダのGNPは日本の約40％で7位、中国は8位でした。GNPの大きさから判断すると、1位のアメリカから7位のカナダまで工業化された民主主義国が占めています。カナダが先進国首脳会議のメンバーとなってもおかしくはありませんでしたが、カナダは他のメンバー国とは違って唯一植民地を経験した国です。

　カナダの参加で先進国首脳会議はGroup of Seven（G7）となり、G7サミットと呼ばれるようになりました。G7のGNPは世界のGNPの約半分を占めていました。1991年になるとG7はサミット枠外での会議にロシアの参加を許しました。1998年の先進国首脳会議（G7）以降、GDPでは発展途上国レベルにあるロシアが加わったのでG8サミットと呼ばれるようになりました。しかし、2014年になるとロシアの参加は停止されてG7に戻りました。また、2008年からは先進国に新興国を加えた主要20か国による会議（G20）がG7とは別に開催されています。

　超大国がなくなり多極化する世界で先進国に留まり続けるには、対等の付き合いができる外交が重要です。書かれた文章を棒読みするだけでは対等の付き合いはできません。相手の理解を求めるならば、自らの言葉で話すしかありません。対等とは相手の文化を理解して、自分たちの文化を理解してもらうことです。特に、相手の文化を受け入れることは重要です。相手の文化を理解することは教養がなけ

ればできません。自分たちの文化を伝えることも教養がなければできません。誰とでも対等の話し合いをするには相手を知る知識が必要ですが、教養はもっと重要です。教養は学校で教えてくれる類の知識や学問ではありません。教養は一人ひとりが自らを磨いて身に付けるしかありません。教養を身に付ける最適の方法は読書です。読書と言っても情報や知識が得られる本だけではなく、古典を多く読むことが大切です。洋の東西を問わず多くの人が読む価値があると判断してきた証として、月日のふるいを通ってきたのが古典です。

　たとえば、古代ローマに関する本を読めば、ラテン文化を知って現代のヨーロッパを理解する手がかりになることがあります。日本の古典からは日本独自の文化を学ぶことができます。学んで理解し自ら考えることが教養となります。教養を身に付けることが国際社会では必要です。対等の話し合いの交渉は、意見を理路整然に言うことから始まります。自分たちは民主主義だから自分たちの主義、主張は正しいと押し付けてくる文化に対し、同じ民主主義でも違う文化があることを正々堂々と話して理解、納得してもらうことが対等の話し合いです。外交は教養と教養の腕比べです。民主主義の顔をしながら実際は“力”に頼って意見を押し付けるのは外交とは言えません。双方が“自分たちの意見は正しい”と言い張って、対等の話し合いができなければ戦いしかありません。

　交渉はお互いの文化を理解することから始まります。ロ

シアがウクライナに侵攻したのは、自分たちの主張を相手に納得させられなかったからです。自分たちはあなたたちと違う文化を持っており、自分たちの文化に基づいた考え方があることを、十分説明し納得させることができていれば武力に訴えることもなかったように思います。また、西側諸国が世界には違う文化があることを意識して、ロシアの文化を理解してきたとも思えませんので、対等の話し合いをしてきたとは想像しにくいです。相互に相手の文化を理解しようという意志があれば、違った状況があったかもしれません。理解しない方が悪いからといって、侵略が正当化されるものではありませんが、ロシアには交渉で解決するという強い意志が必要でした。西側には相手の言い分を十分に聞いて文化を理解する態度が必要だったと思います。日本がかつて戦争を選んだのも同じような状況ではなかったかと思います。

　異民族の文化は、お互いにどれほど理解しにくいことでしょうか。それぞれが違う歩みをして長い歴史の中で育んできた文化は重く、数百年くらいのスパンで動かせるものではありません。文化が違えば"自分たちは絶対に正しいので、相手が間違っている"という、二者択一思考に基づいた行動があることを知っておく必要があります。自分と見方や考え方が違うといって争うよりも、違う生き方があることを認め合う世界を作らねばなりません。異文化による摩擦の解決は、話し合いが唯一の手段です。いつでも、どこでも、誰とでも、対等の話し合いができる人を育てるこ

とが必要です。日本は八百万の神の国です。私たちは教養を身に付けることによって、違う文化を理解することができるのです。これからも私たちが先進国であり続けるためには、どのような相手とも対等の話し合いができる人を育てていかなければいけません。

1.2.3　外国為替と円

　日本が高度経済成長期を迎えたころ、円とドルの交換レートは1949年にGHQ（連合国軍最高司令官総司令部）が設定したUS$1 = ¥360に固定されていました。しかし、1971年にアメリカが固定比率による米ドル紙幣と金の兌換を一時停止すると発表した、いわゆるニクソンショックがありました。固定相場制を維持するためにドルを切り下げて、円はスミソニアン・レートと呼ばれたUS$1 = ¥308に固定されました。それでもドル不安は収まらず1973年に為替市場は変動相場制へと移行しました。変動相場制へ移行したあとも日本経済は輸出産業に支えられてますます強くなり、円建て決済の輸出ができるようになりました。円が主要通貨の仲間入りをしたのです。

　1985年のプラザ合意前の時点では、US$1 = ¥235くらいまで円高になっていました。為替安定を目指したプラザ合意以降も強い日本経済のもとで円高は進み、1年後にはUS$1 = ¥150で取引されるようになりました。主に製造業中心の輸出産業に支えられていた日本経済は、急激な円高によって"円高不況"になるといわれていました。為替市場

で円の対ドル交換レートが上昇しても、国内で使う円の価値が変わるわけではありません。しかし、日本製品の輸出価格はドル換算すると高くなるので、高くなる輸出価格に対応するために、多くの輸出産業が製造拠点を海外へ移すようになりました。輸入価格は円換算すると下降して海外への支払い額が減るようになるので、円の金余り状況が顕著になってきました。

また、海外の不動産などの資産を円換算してみると、安く見えるようになりました。にわかに金持ちのような気持ちになった人たちは、海外資産への投資に走りました。冷静に考えますと、円高は為替レート上の話に過ぎないのですが、異常ともいえる投資熱が日本経済を覆いました。投資熱は国内にも影響して1986年暮れころからは、日本経済はバブル経済と言われた異常な経済活動へと突き進みました。しかし、バブル経済は数年で崩壊しました。バブル経済の崩壊は1993年に政権交代を起こしました。55年体制という安定した政治状況に終わりを告げたのです。その後、自由民主党は公明党と連立を組んで政権を奪還しましたが、2009年に民主党に政権の座を明け渡しました。バブル経済崩壊以降の約20年間、円はUS$1＝¥110～¥120前後で推移しました。

2011年3月11日に発生した東日本大震災の復興のため"日本政府はアメリカ国債を売却するだろう"とか"日本企業は国内再建の費用を捻出するため海外投資を控えるだろう"とか、あるいは"日本の金融機関は国内の資金需要にこた

えるため海外運用を控えるだろう”といった憶測が話題になりました。うわさを基に海外投資家が動くだろうという思惑の結果として、円は2011年秋に最高値（US\$1 = ￥75.32）を付けました。

2012年暮れに誕生した第2次安倍政権はアベノミクスの「希望を生みだす強い経済」と「夢をつむぐ子育て支援」と「安心につながる社会保障」の三本の矢を政策の柱としました。安倍政権で任命された日本銀行の黒田総裁は、デフレ脱却と景気刺激のために三本の矢を後押しする「黒田バズーカ」と呼ばれる極端な金融緩和策を導入しました。マイナス金利を含む大胆な金融緩和策は、一時的に効果を発揮しました。しかし、最近では金融緩和策の負の影響が懸念され始めました。

2022年2月24日のロシアによるウクライナ侵攻によって、世界的にエネルギーや食料のインフレが起きました。インフレを鎮静化させるために、アメリカをはじめとする先進諸国は、景気回復もあり政策金利を引き上げてきました。日本も数十年ぶりというインフレに見舞われていますが、経済状況と日本銀行の国債保有状況を考慮すると、すぐに金利を引き上げることができる状況にはありません。日米の金利差が大きくなるにつれて、円を売りドルを買う状況となって円安が進みました。2022年の夏以来、円安傾向は続いて11月に円は1990年と同じレベルのUS\$1 ≒ €1 ≒ ￥150になりました。12月20日に日本銀行が金利の許容幅を0.25％から0.5％に広げたので、円高が進みUS\$1 ≒ ￥135、

€1≒¥145くらいになりました。2023年4月に就任した日本銀行の植田新総裁が"当分の間、現在の金融緩和策は続ける必要がある"と発表したことにより、同じような為替相場が続いています。8月にはその後の世界経済を反映して為替相場はUS$1≒¥145、€1≒¥158くらいで推移しています。

　円が強くなったのは、製造業に支えられた日本経済が強くなっていく時期と重なっています。円の高止まりはバブル経済の崩壊で日本が停滞する中でも続きました。この間に日本を手本として製造技術を学んだ国々は、次々と日本を追い越していきました。日本が得意とする製造業は後続国に追い抜かれGDPも伸び悩み、相対的には国力が衰えてきたように見えます。先進国仲間から落ちこぼれようとしている日本の姿が見えるようになりました。

　"Japan as Number 1"といわれた日本経済のメッキが剥がれて、最近"3周後れ"とやゆされ始めた日本が、もう一度輝きを放つにはどうすればいいのでしょうか。昭和の高度成長期の経験と同じ手法で"後れ"を取り戻してもう一度輝きを取り戻すことはできるのでしょうか。今までと同様の製造業の技術に頼る政策で"後れ"が取り戻せるようにはとても思えません。日本が誇る最先端の技術は多方面にわたっています。欠けているのはその技術力を生かす組織運営の手法です。令和時代には令和時代にふさわしい新しい戦略を立てる時ではないでしょうか。

② タテ社会とヨコ社会

　人類学者の中根千枝氏によると、社会集団の構成要因は「資格」（属性）の共通性があるものと「場」（所属）を共有によるものがあり、各個人は「資格」による社会層、あるいは「場」による社会集団に属しているといわれています。

2.1　タテ社会の日本

　明治維新後の社会は"属性"よりも"所属"を優先することが多かったようです。

2.1.1　タテ社会の成立－倭国とヤマト

　縄文時代かその前に南からフィリピン、台湾、沖縄を経て日本へ渡ってきた人がいます。南からはマレーシア半島から島伝いでフィリピンへ来た人たちと、ポリネシアから島伝いにフィリピンへ来た人たちがいました。彼らがフィリピンから海を渡って台湾まで来ると、次は沖縄へ来て九州まで来ることは当然の冒険だったと思われます。北からの人たちは朝鮮半島から対馬を経て九州や中国地方、近畿地方へ来ています。地図の北を下にして朝鮮半島から日本をみますと、日本海を隔てて九州地方から北陸地方までが目と鼻の先のように見えます。ユーラシア大陸を横断して

東端にある朝鮮半島まで来た人たちが、海を渡りたいと考えたことは想像に難くないことです。北へ向かった人はアジア大陸をシベリアからベーリング海峡を渡って、アラスカへ行きました。また、サハリンを経て北海道へ来た人たちもいたと思われます。

縄文時代の日本列島は、北からも南からも多様な民族が渡って来る、国際色豊かな島でした。日本へ来た人は民族ごとに別々に暮らしました。同じ民族グループは地域ごとに集落をつくって暮らして、今でいうところの"国"を形成していました。もともと日本列島に住んでいる人たちも集落を作っていました。民族ごとに文化が違い話す言葉も違いますから、民族固有の言葉と風俗習慣が国民のアイデンティの証明でした。それぞれの民族にはリーダーがおり"国"はリーダーに率いられていました。リーダーが男の国もあれば女の国もありました。どの国も互いに対等の付き合いをしていました。九州に「倭国」と呼ばれる"国"があり、中国と交渉があったことは「魏志倭人伝」に記録されています。卑弥呼が率いた邪馬台国がどこにあったのかはいまだに明確ではありませんが、おそらく「倭国」と総称された"国"の一つではないでしょうか。

古代の日本が中国の影響を強く受け始めたのは弥生時代と思われます。弥生時代も後期になると、「倭国」の支配者層は古代中華帝国の統治手法を学んで、"国"を運営する基本規則としました。彼らは漢字と文章をタテに書く漢文を習得していたようです。文章をタテに書く漢文の習得が、日

本の「タテ社会」の始まりです。中国では鳥の足跡（縦に歩きます）から鳥の種類を記録するためとか、占いのために大腿骨（縦にひびが入ります）などの骨を用いたといわれていますから、記録する文字も縦に書くようになったようです。古代中国の「タテ社会」の始まりです。

　余談ですが、墨で筆を使って漢文を書くとき、書いた文字が乾かないうちに左の行へ移ると書いた文字が擦れてしまうので、漢字の文章を縦に右から左へ書くのは自然ではないような気がします。漢字の書き順は左から右へ書きますから、文章を右から左へ書くより、縦書きでも横書きでも左から右へ書くのが自然ではないでしょうか。漢字の文章を右から左へ書くのは、文字を書くこと自体が修行だったからと思われます。

　中国地方から近畿地方に来た豪族のうち、統治する地域を大阪・奈良地方から西へ東へと広げていった部族がありました。近畿地方から西の豪族たちを武力で平定し従えました。この部族が何がしか天皇家とつながりがあるのではないかと想像できます。古代日本の王となった天皇に従う部族たちが地域を支配する社会ができました。日本という本格的な"国"（統一国家）の始まりです。古墳時代にヤマト政権が誕生して、飛鳥時代へとつながります。各部族の支配下にある一般の人は、自分たちが住む地域を優先しました。ここに「場」（所属）を優先する日本の「タテ社会」が確立したのです。

2.1.2 タテ社会の成熟－国風文化

　奈良時代から平安時代になると天皇を中心とする支配者層が、中国から学んだ統治手法を独自に発展させて日本型の統治形態を確立しました。日本人貴族層の矜持が大陸の進んだ文化を、消化し改良し発展させて独自の日本文化として花開かせることとなりました。天皇を"国"の頂点とする厳格な中央集権の律令政治が成熟して、今に続く「タテ社会」が完成しました。平安時代の朝廷は「場」を優先する「タテ社会」から、氏・素性という「資格」を優先する「タテ社会」に代わっていきました。新しい「タテ社会」の構造は、摂関政治から院政へと政治権力が変わっても揺るぎませんでした。

　日本人は日本語の音に一つずつの漢字をあてて、万葉仮名と呼ばれる文章の書き方を作り出しました。万葉仮名の活用は貴族文化の発展に大きく寄与しました。平安時代の初期は漢文と万葉仮名を用いる和文が並立していたのです。平安時代に政権を担う役職にある貴族たちにとっては、先例を重んじて毎年同じことを繰り返すことが大切でした。彼らは誰が、いつ、どこで、何を、どのように行ったかという詳細を公文書に記録しました。出来事の感想などは私的な日記につけました。借り物の漢字を万葉仮名にして、男性専用の文字として使ってきたのです。女性が使う文字としては平仮名を発明して、日記、随筆、和歌、小説などの女性文学の世界を広げました。平安時代に花開いた国風文化は、平安人が示した優れた能力のお陰です。中国の進ん

だ文化を取り入れて、自分たち用に改良し新しい文化を生みだしたのです。貴族文化が日本独自の文化を発展させたのは、貴族文化の担い手には男女の区別のない男女共同参画の世だったからです。国風文化が示すように、平安時代は日本人が精神的に最も発展した時代でした。

　昔から日本人は外国の進んだモノを受け入れて、物まねが上手な民族でした。最初はただの物まねだったかもしれませんが、時間と共に取り入れたモノを消化して自分のモノにしました。輸入したモノを日本社会に合うように改良を加えて日本型のモノを作りだしてきたところに私たちの知恵があります。たとえば、万葉仮名から平仮名を編み出したり、漢文を和読するための訓点記号としてカタカナを作り出したりしました。明治以降の公文書では漢字とカタカナが使われましたし、現在も外来語のカタカナ表記は続いています。自分たち用に輸入モノを改善する能力を発揮し、用途によって表記を使い分けたのです。外国のモノを単に物まねすることはないし、輸入したモノをそのまま使うことはあまりありませんでした。輸入のモノから日本型を作り出す知恵は、今に引き継がれています。中国文化を消化して国風文化を作り出した平安時代の活力は、私たちのDNAに刷り込まれています。漢字から平仮名を発明したのと同じように、外国のモノから日本型を作り出すのは私たちの文化になっています。

　私たちが作り出してきた日本型のモノは元の姿と比べると、名前は同じでも似て非なるモノになっていることは少

なくありません。法律や規則を作る時でも外国の例をお手本にして、自分たちの使い勝手がいいように解釈して日本型を作り出しています。日本型は原形と比べると往々にして似て非なるものになってしまうところがあります。たとえば、民主主義での政治形態、会社の経営と執行、チームワークとみんなで一緒に、ベースボールと野球などです。今年のWBCでは日本が優勝し、野球がベースボールと肩を並べました。

　飛鳥時代から続く藤原氏は、平安時代になると朝廷との姻戚関係を結び外戚として権勢をふるうようになりました。平安時代中期の藤原道長の歌"此の世をば　我が世とぞ思ふ　望月の　欠けたることも　無しと思えば"にありますように栄華を誇ります。平安時代も中期以降になると、貴族や荘園の警備を担ってきた武士階級が台頭するようになりました。末期には武家の台頭が著しくなり、桓武平氏と清和源氏が有力な武家集団として頭角を現してきます。「保元の乱」と「平治の乱」を制した平氏が源氏を抑えて実権を握りました。平清盛は朝廷との姻戚関係を結んで「資格」を得て権勢をふるい、平氏一族の平時忠は"平家にあらずんば、人にあらず"とまで言ったのです。しかし、源頼朝が東国で息を吹き返して、平氏を滅ぼし鎌倉に武家政権を打ち立てました。再び「場」が「資格」に優先する社会が見えてきたのです。

2.1.3　タテ社会の確立－武士道

　源頼朝が坂東武者を率いて関東を支配しても、近畿では皇族と貴族による統治が続きました。日本国内に二つの権力が並走していたのです。京都貴族と鎌倉武士との権力争いは、両者の衝突を招いて「承久の乱」がおきました。乱に勝った鎌倉の武士政権は各地の豪族を御家人として、強い「タテ社会」を築きました。それまで各武家のウチで営まれていた「タテ社会」ですが、武家同士を上下関係で結ぶことで「タテ社会」がソトにもできたのです。奈良時代に中国から教わり日本型に改編して、平安時代まで行われてきた貴族統治の律令政治から、鎌倉幕府第3代執権の北条泰時らは「御成敗式目」を発表して武士が統治する政治形態へ移行しました。「武士道」の誕生です。

　鎌倉時代から江戸時代まで続く武士の時代に、氏ごとに「タテ社会」を構成する幕藩体制の基礎が確立されました。徳川将軍の幕藩体制が確立されるとともに、日本人の精神的な背骨となって現代まで影響を及ぼすことになる「武士道」が江戸時代に完成しました。サムライの精神的な支えとなる「武士道」が発展してきたこともあって、武士の言葉は尊重されました。“武士に二言はない”とか“行事での間違いは許されない”とかの慣習は、必要以上に格式を重んじる伝統となって、その後の組織運営に大きな影響を与え続けてきました。形式を重んじるばかりに、型にふるまいを合わせるようなことが普通に行われるようになったのです。たとえば、旧帝国陸軍の“靴が合わなければ、足を

靴に合わせろ"といった考え方です。

　徳川将軍家を武士の棟梁とする幕藩体制は、約300に及ぶ大名の支配する藩が支えていました。各藩は独自の統治制度をもっており、それぞれが独立した"国"としてふるまっていたのです。藩（国）は明確な領域と領域内に居住する人民を治めて、藩内で通用する藩札を発行していました。住民は藩（国）から勝手に出たり移動したりすることは許されていませんでした。

　江戸時代の日本の人口は約3,000万人で、人々は士農工商という「資格」で身分が仕分けられていました。幕藩体制を支える武士層は人口の約7％でした。身分制度によって人の身分が基本的に固定されていたので、社会を人の属性で仕分ける文化が根付いていました。また、幕府も藩も「武士道」を規範としていましたから、すべての日本人は身分にかかわらず「武士道」の影響下にあったといえます。

　藩が独立国と同様に扱われていたことは、1867年の第2回パリ万博の時に日本国を代表して参加した徳川昭武の率いる徳川幕府のほかに、薩摩藩と佐賀藩が独自に参加していたことに見て取れます。藩は小さくても一つの"国"ですから、大名とも呼ばれる藩主（殿様）は元首です。戦国時代から続く誰もが"一国一城の主になりたい"という伝統は今に続いています。たとえば、与党の派閥は譜代藩で野党は外様藩とすると、派閥を作るとか少数でも徒党を組むのは、誰もが一国一城の主になりたいだけです。一国一城の主はグループのメンバーに「場」を提供し、メンバーは所

属する「場」に安住しています。現在の日本の政党はすべて幕藩体制の「タテ社会」そのものです。

　幕藩時代の藩が"国"と呼ばれていたことは、他藩から訪れてきた人に「お国はどちらですか」と聞いていたことに表れています。聞かれた人は「拙者は○○藩の××と申す」と応えました。まず、所属藩（国）を明らかにしてから次に名前を名乗ったのです。明治維新後も出身地を聞くときに「お国はどちらですか」と言います。同じように、私たちは今でも普通に地域とか所属先などの「場」を先に話しますから、自己紹介するとき「私は○○会社の××です」と言います。初対面の人に最初から「ご職業は何ですか？」と聞くことはありません。自分を紹介するのに「エンジニアの××です」とか、「高校教師の××です」という応え方もありません。相手が知りたいことは、相手の「資格」よりも所属する「場」であることが多いので「○○会社の××です」と名乗ることが普通となっています。エンジニアとか教師、事務員などの個人の「資格」を表すよりも、会社とか学校、官庁などの「場」を優先する日本の社会は、自分が所属する組織は「ウチ」であり、相手が所属する組織を「ソト」と認識する文化で育まれました。「タテ社会」は「ウチ」の中で成立しているばかりではなく「ソト」の組織を含めた社会全体に成立しています。

　日本の組織運営が先進諸国の組織運営と違う理由の一つに、日本の文化が江戸時代の鎖国政策によって独自に発展してきたことがあります。徳川幕府が幕藩体制とヨーロッ

パの組織運営の違いを知る由もありませんでしたので、将軍家と諸大名による日本型の封建社会が形成されたといえます。ヨーロッパの「ヨコ社会」で行われていた対等の立場で約束をするという契約的な概念はなかったようです。約束事を文書で交わす行為は、武士が統治する時代からありました。双方が約束した項目を文書にして署名を交わして行動の基としてきました。しかし、約束文書が対等の立場で交わされることはなかったようです。立場の違いは明文化されていませんが、お互いの力関係は理解していたのです。強い武家が弱い武家を"力"で従える「タテ社会」が確立されていたのです。

　幕藩体制はヨーロッパの契約的な考えを基礎とする封建制度とは違いました。幕府による諸大名の支配はどう喝が基本でした。幕府は参勤交代で1万石から100万石まで大小300を超える藩（国）を縛っていました。"力"で支配する手法は藩内においても人事面で適用されました。現在も多くの組織で行われている運営手法です。今に続く日本の「タテ社会」は、全国の大名を徳川家の"力"による統治で確立されたのです。約300あった藩（国）の殿様（大名）に忠誠を誓う武士たちが「武士道」によって藩（国）の運営を行ってきました。主君へ忠義を尽くすことが大切で世襲の武士が役ごとに決められた形式を重視してきたのです。藩（国）の運営形態は世襲と過去の経験に基づいてすべて決まっており、改めて検討する必要はなかったからだといえます。

日本の文化には人を所属する組織で仕分ける武家の台頭以来の長い歴史があります。しかし、江戸時代は「資格」と「場」の機能を対等に受け入れてきたことがわかります。私たちはこの二つの機能を時と場合に合わせて使い分けてきたのです。ひるがえって、今の日本では「場」の機能が「資格」の機能に優先しているようにみえます。しかし、"後れ"を取り戻すためには「資格」の機能を見直すことが必要です。時と場合に応じて「資格」を「場」の機能に優先する社会の運営が求められているのです。歴史的に日本の社会は「場」を優先してきましたが、時と場合によって「資格」の機能を有効に利用してきましたから「タテ社会」においても有効な手段といえます。

2.1.4　タテ社会の継承 − 明治から昭和へ

　薩摩藩と長州藩が率いた明治政府は欧米の先進国をお手本として近代化を目指しました。政府は中央集権を確立するために、「廃藩置県」を断行して大名の権限を取り上げました。「廃藩置県」は独自の自治権を持っていた約300の藩（国）から主権を取り上げたのです。日本を一つにまとめて、中央集権の確立を目指したという意味において非常に大きな制度改革でした。政府が基本とした中央集権の運営手法は、幕藩時代と同じ"力"による運営でした。その結果、速やかに近代化を成し遂げて、統制の取れた国を作ることができたのです。

　私たちは幕末に欧米先進諸国の文明と文化の高さを見せ

つけられていましたから、明治政府は近代化して日本の位置を高めようとしました。維新を成し遂げた政府は統治権力を持つと"一流国"を目指して「富国強兵」と「殖産興業」をスローガンに掲げました。政府は"一流国"であることを示すために、近代化を急いで先進諸国から最新式の制度や機械などを取り入れました。

　"一流国"を目指すためには国を近代化して「モノつくり」のハード技術の習得もさることながら、社会を運営するソフト技術の習得も必要な条件です。そのため政府の幹部は大挙して欧米の視察にも出かけました。しかし、外国人を雇い習ったのは機械で作る製品の製造技術で、組織の運営方法は封建時代からのやり方を踏襲したのです。社会の運営は幕府や藩の"力"による運営の原則をそのままにして、西洋の進んだ「モノつくり」の技術のみを取り入れて近代化を図りました。「モノつくり」の近代化により鉄道、道路、発電、水道、郵便などのインフラが整備されました。十分な国家予算がない中で独立国として先進諸国と対等に渡り合うためには、一流の軍事力と近代産業を持つことが最重要課題だったのです。日本は西洋の植民地にはなりませんでしたから、明治政府の「和魂洋才」政策は成功したといえます。

　内を治めながら外へも向かった20年は、先進国の製造技術（ハードの技術）を導入して発展をみましたが、ウチを治める手法やソトと交渉する方法（ソフトの技術）は徳川時代とあまり変わらなかったのです。明治政府の運営手法

は幕府の統治手法と同じ絶対的な上下関係と官尊民卑にありました。政府は運営面では基本的に従来の統治手法を守って、先進諸国の運営手法は日本型に編集し直して導入しました。朱子派の儒教主義に基づいた「民はこれを由らしむべく、これを知らしむべからず」を運営の基本としたのです。"一流国"になるための政府組織の運営方法は、先進国の制度を学んで同じような組織構造のウツワを作ることでした。先進国の手法をそのまま移入したわけではありません。江戸時代から続く国を統治する手法は、当時の先進国の手法とは全く違っていたからです。明治政府の組織運営は先進国の制度を参考にしましたが、旧来のやり方を踏襲することにしたのです。幕藩体制時代の統治手法に先進諸国の手法を混ぜた日本型の運営手法を作り上げました。

　明治維新を成し遂げた人たちは、新しい国を治めるうえでの具体的な統治の姿を詳細に描いていたわけではありませんでした。お手本のない中で統治の形を模索しながら新しい国を立ち上げて"一流国"を目指したのです。政府を運営する方法は、必要に応じてその都度新しい組織を立ち上げる形態をとりました。業務執行でも確実な手法を持ち合わせているわけではありませんでしたから、手探りで進めるしかなかったのです。国を運営するには一人でも多くの人に力を合わせて働いてもらう必要がありました。多くの人がみんなで一緒になって国づくりに参加する社会を作りましたから、明治政府の組織運営は成功したといえます。

　手探りではありましたが、日本には長い武士の時代に培

われた「武士道」を精神的な背景とする幕藩時代の統治手法という完成形があったのです。維新を成し遂げた薩摩藩と長州藩は土佐藩と肥前藩を仲間に引き入れて、徳川幕府の統治手法を踏襲した形で明治政府を立ち上げました。新しい日本を治める手法として技術的には幕府や藩の統治手法をそのまま踏襲したのです。私たちには精神的なバックボーンとして「武士道」がありましたから明治政府の“力”による運営は、比較的すんなりと庶民の受け入れるところとなりました。ここに「タテ社会」の継承がなされたのです。

　明治時代の「タテ社会」は社会のカタチが変わっても、社会の底流となって私たちの文化の一部として続きます。社会の大きな変化は太平洋戦争へと突き進みました。大日本帝国の戦争へ向けての政策執行は希望的観測に基づいた計画に頼っていました。政策方針は目標達成に向けたグランドデザインが基本になっています。しかし、グランドデザインは思い込みと仮定の下での単線的で楽観的な戦術中心の粗い戦略でした。計画は国際情勢を包括していますが、目標達成への複数の道筋は具体的に検討されていません。政策が計画どおりに行かなかったときの代替案（Plan B）はありませんし、予備案（Plan C）があるはずもありません。ウチにおける人間関係を重視して、組織運営の合理性は軽視されていました。

　しかし、私たちにとってよかったことは、戦争に負けた後も「タテ社会」がしっかりと継承されてびくともしなかっ

たことです。私たちの文化を支えてきた「タテ社会」のお陰で、戦後の復興が順調に進んだことは第1章で述べました。しかし、社会が変わったにもかかわらず「タテ社会」の文化は、しっかりと継承されすぎて進化できなかったことは"後れ"を招いた原因にもなってきました。

2.1.5　タテ社会の停滞－平成から令和へ

　日本の社会が高度成長期を経て、今でも技術的には世界の最先端を行っているのは違いないようです。しかし、行政のデジタル化の分野で後れを取っていますから、社会のデジタル化を進めなければならない、という掛け声が大きくなってきました。次の一歩を進めなければなりませんが、課題は業務のデジタル化だけではなく、社会運営や組織経営にあります。課題を分析するヒントは、何が日本を先進国に押し上げてきたかを振り返ることから始まります。日本を先進国に押し上げた原動力は、高度成長をもたらした製造業です。製鉄、家電、自動車などの製造業の「モノつくり」の技術です。"Made in Japan"は世界中の消費者が手にして、使ってみて、乗ってみて、便利だ、気持ちいい、おいしいと感じて"日本製品大好き"が世界の隅々までいきわたりました。しかし、「モノつくり」の技術はすぐに模倣されました。

　もう一つの原動力は、上下関係に基づくどう喝を基本とした組織の運営です。日本型の組織運営は、組織を統括する非常によくできたシステムです。しかし、組織の構成員

はみんな対等という理念に基づいた、契約の概念を基本とする組織運営は育ちませんでした。多くの後続国が日本の「モノつくり」の技術を習得したにもかかわらず、日本型の経営・運営を模倣する国がないのは、彼らが"力"による組織の運営手法に学ぶものがないと感じているからです。

　日本の社会をみますと、大きな組織と小さな組織が上下関係で結ばれています。組織内では年功序列、組織と組織では力関係。どちらも対等の関係を理解することはむつかしいようです。交渉は対等の関係を理解してはじめて成立しますので、対等の話し合いができないことには交渉は成り立ちません。上下関係や力関係で話をするのはパワハラになりますし、どう喝になります。そこには組織を運営する技術の基礎となっている対等の関係がありません。

　多くの日本の組織が、私たちの「資格」よりも「場」を優先する"縦割り"の社会になっていますので、組織の「場」と「場」の間には隙間が生じます。隙間を埋めるために新しい組織を立ち上げますが、新しい「場」と元より存在する「場」の間に、また隙間ができます。新しい隙間の間にまた隙間ができます。隙間を埋めるために、また新しい組織が必要になります。"縦割り"の社会は次から次へと膨らんでいきます。「タテ社会」の"縦割り"は蛸壺のようなもので、中にいると外のことは気にしなくていいので非常に気持ちが良くて、外に出る気が起きません。蛸壺と蛸壺の間の隙間を埋めるために、新しい蛸壺を準備することになりますから、次から次へと蛸壺が増えていきます。「タテ社

会」の"縦割り"は「場」の機能を優先する官僚組織に顕著です。蛸壺型の官僚組織は「タテ社会」の見本であり、似たような状況はどの組織にも見られます。

現代の社会生活は、グループを組織して団体で活動することが基本になっています。たとえば、日本の社会は参議院議員と衆議院議員を合わせた国会議員からなる国会を頂点として、総理大臣を中心とする政府の組織、行政の実務を担当する省庁をはじめとする公務員の組織、司法をつかさどる裁判所の組織と弁護士団体、学校や病院の組織、会社組織、いろいろな分野の芸術家の団体などから成り立っています。団体や組織は成り立ちや歴史が違いますから、当然のことながらそれぞれに固有の組織文化があります。私たちはいずれかの組織に所属して生活の場としていますから、私たちの日々の生活は所属組織が持っている固有の文化と共にあります。各組織はそれぞれの文化に沿った形で営まれていますから、私たちの生活は同じ文化を共有している「場」の中にあるといえます。私たちが所属する「場」の中には所属者の序列があります。

国会では与党も野党も、当選回数による序列。政府内では、首相をはじめ財務や外務などの重要閣僚と、政府の一員として閣議に参加する一般閣僚。省庁においては予算配分の実権を握る財務省と国民生活に関わる予算の執行に直接関与する重要省庁とその他の一般の省庁。司法は、最高裁判所を頂点とする裁判制度などです。産業界においてはそれぞれの業界内での序列と社内における社長をトップと

する序列です。組織内の序列は所属者の国籍、年齢、性別、資格などの属性が重要となっています。会議において、序列に従うことは所属者の当然の義務と捉えられています。団体に所属している者の間には必ず序列がありますから、各団体は私たちが所属する団体内の序列を基に運営されています。重要なことは序列があって初めて対等という考え方の実践です。序列を上下関係と捉えて、上位者の"権威"を既得権の"力"として振舞うことに課題があります。

　戦後社会の運営でも、伝統的な手法が変わることはありませんでした。統制が取れた日本社会の運営は、復興に大いに役立ちました。会社組織は基本的に人事にも組合活動にも同じ手法を適用して運営してきました。GHQが日本の社会を直接運営する必要はなかったのです。戦後の復興から高度成長へ進んだころの社会は、明治以来の伝統的手法である「資格」よりも「場」の機能を優先する「タテ社会」を引き継いで成功しました。バブル崩壊以降は低成長期を迎えたので、持続可能な成長を維持していかなければなければならない時代になりました。多くの組織で"みんなで一緒に"働き続けることが難しくなったのです。かつての成功体験が忘れられず、"力"による「タテ社会」の運営を続けてきたことが、今の"後れ"を招いた原因の一つと言えます。

　時代が平成から令和に移っても続く停滞した社会にあって、先進国から"3周後れ"を実感するようになり、昔成功した"みんなで一緒に"と"力"による組織運営の手法を見直

すときが来ました。「モノつくり」の技術に頼るばかりでは
なく、先進国で確立されている組織運営の技術を学習し直
して活用するときがきているのです。今までの「タテ社会」
では「資格」よりも「場」を優先することが多かったので
すが、これからは時と場合により「資格」を「場」に優先
する「タテ社会」の運営に変えてはいかなければ"後れ"は
取り戻せません。

2.2 ヨコ社会のヨーロッパ

　西洋諸国の社会運営は、古代ローマに原型を見ることができます。

2.2.1 ヨコ社会の成立－古代ローマまで

　中近東といわれる地域に始まった文明は、部族ごとに暮らしていました。彼らは大陸が生活の場なので、絶えず横隣りに住む部族を気にしながら暮らしていました。陸続きですが、部族ごとに肌や髪の毛の色が違い、着ている服装も違いました。彼らにとっては話し言葉が違う隣人が敵なのか味方なのかは重要な関心事でした。違う部族が集落に来たときに、最も関心があるのは相手の能力です。相手の部族の名前やどこから来たかというよりも、何を持っていて何ができる人たちかです。相手が自分たちにないものを持っているとか、自分たちの知らないことができるとわかったときは、味方につける必要がありました。相手が同意しないときは、攻撃したり略奪したりすることもいとませんでした。というわけで、彼らは隣に住む別部族を仲間として付き合うか敵にして戦うか、絶えず気にしなくてはならない生活をしていました。

　あまりにも違う風俗習慣を持った部族の特徴を記録し、横に住む味方に伝えるために文字が発明されました。そこで文字を横に並べて単語を作り、文章にすることを思いついたのです。記録を左から右へ横書きにすると、右利きに

は書きやすいし、人間の目は横に二つ付いているので、読みやすいことがわかりました。文字を発明した部族は、自分たちの行いを記録しました。違う言葉の部族と話し合うために通訳する人も現れました。文字を持たなかった部族は文字を持つ部族との接触で文章を理解するようになり、使いこなすようになりました。文明から文化へ、同様のことを経験する部族が増えたのです。文字の種類は違いますが、同じ内容を横書きに記録したのが有名なロゼッタストーンです。

　余談ですが、アラビア文字は横書きですが、右から左へ書きます。発明した人は左利きであったのでしょう。右利きの人が文字を横に右から左へ書くのはそれなりの努力が必要です。右利きの人は横に左から右へ書き、左利きの人は横に右から左へ書くのが理にかなっているような気がします。古代中国でも文字として漢字が発明されましたが、文章を縦に書いて記録を残しました。漢字も右利きの人が右から左へ書くのはその意図がなければ簡単ではありません。

　昔からヨーロッパでは、敵か味方かわからない人たちを相手に交渉してきました。彼らは背景を全く異にする人たちを統治しなければなりませんでしたから、交渉内容を記録として残しました。商人たちも明日いなくなるかもしれない相手と商売するために、取引内容を記録して取り交わしました。古代メソポタミアでは、商取引の文章記録が取り交わされていたそうです。双方の言動を文書に記録して署名しておくことは契約行為の始まりです。文字の発明と

共に契約の概念を共有し、能力を優先する「ヨコ社会」の
原型ができたのです。

　大陸に住む民族は発展の過程が違い、風俗習慣が違い、言
葉が違い、文化の違う人が共に暮らしていました。今日の
味方は明日の敵かもしれない中で地続きに住む彼らは、お
互いの話し合いの結果を記録して交わしました。彼らは横
同士の関係を重視していたので、民族間で生ずる問題解決
のために、約束事を文書にすることは生活の知恵として発
達してきました。同じ部族は同じ地域に居住するので、部
族に属する人にとって部族は「場」の機能を持っています。
しかし、生まれながらの属性や独自に発明したものや部族
を引き連れる能力が優先する社会でした。「ヨコ社会」が誕
生する素地は、彼らが住んでいた陸続きの大陸にありまし
た。西洋の「場」よりも「資格」を優先する「ヨコ社会」
は、古代ローマが他民族をそのまま受け入れたように、地
中海周辺に住む人たちの文明の発達が基礎になっています。
古代ギリシャから続く古代ローマの法と規則による国家の
統治形態が、現代のヨーロッパ諸国の統治の基礎となって
いるのです。現代に至るまで先進国であり続けるヨーロッ
パの「ヨコ社会」は、ギリシャの文化を引き継いだ古代ロー
マで完成しました。

　古代ローマはイタリア半島に位置する多部族が暮らす多
くの都市国家のうちの一つでした。古代ローマは発展する
に従い、部族の長を王とする統治形態から共和制へ移行し
て、貴族による元老院を中心とした共和制の統治形態を確

立します。その後、皇帝位が設けられて帝政となって、地中海沿岸を支配下に治める世界帝国となりました。古代ローマは一部族から始まりましたが、言語も風俗習慣の異なる異民族を市民として受け入れて、約1,000年間続きました。古代ローマ領内の支配階級の人は、建前としてではありますが部族、民族、言葉、年齢、性別などに関係なく対等でした。元老院は、ギリシャ文化を源流とする法と規則による運営をすべての市民に適用しました。最上位の職と位置付けられた皇帝も、義務と権限は法が定める政府組織の一機関でした。ローマ市民権を持つ有力者たちが増えると、皇帝さえもローマ人以外が選ばれるようになり、属州出身者がローマ皇帝につきました。ローマ帝国の皇帝は義務と責任が明確に文書化された一つの職であったからです。職ですからローマの市民権を持っていて実力さえあれば、ローマ人でなくても皇帝職に就くことができたのです。

　ローマ帝国の皇帝職はちょうど平安時代に完成した律令政治における官位（位階と官職）のようなものだったのです。平安時代の朝廷は、氏・素性という「資格」となる属性を優先し、ローマ帝国は皇帝の椅子に座る「資格」があるかどうかが基準となっていました。古代の中国大陸も同じような条件を備えていました。しかし、秦の始皇帝が中国大陸の言葉も風俗も違う民衆を北から南までみんなまとめて漢民族として統一したので「資格」よりも「場」を優先する「タテ社会」となりました。

　古代ローマが1,000年の長きにわたって他民族を統治で

きたのは、元老院が決定した事項をラテン語の文書にして
各部族や民族のリーダーへ通達して従わせたからです。元
老院の通達に従わない部族があれば、ローマ帝国軍を派遣
しました。ローマ帝国軍は領内を定期的に巡回して、帝国
の領土と蛮族との境界線（リメス）や植民地に駐屯地を築
きました。

　また、古代ローマはいろいろなインフラも整備しました。
古代ローマが整備したインフラにローマ街道があります。
今なら国道高速1号線と呼ばれることになるアッピア街道
を始めとして、領土内にローマを起点とする舗装道路網を
整備しました。構築された道路網を使ってローマの意向を
末端まで伝え、必要に応じてローマ帝国軍を迅速に移動さ
せることができたので"全ての道はローマに通ず"といわれ
ました。2,000年を経た今も古代ローマ時代のインフラ施設
が使われています。上水道はローマ水道と呼ばれて、多く
の都市で今も実用に供されています。下水道も整備されて
いました。インフラ整備は各地の有力者も行うようになり、
有力者たちにはローマの市民権が与えられました。民族や
言葉が違ってもローマの市民権を与えられた人たちは、
ローマ市民として対等に扱われたのです。ローマ帝国を滅
亡させたのは「資格」を持たない蛮族と呼ばれた「場」で
結ばれた部族でした。

2.2.2　ヨコ社会の拡散－古代ローマの後

　ローマ帝国が滅亡した後のヨーロッパでは、北方民族や

ゲルマン族をはじめとして、部族や民族の移動が繰り返されました。彼らの中から有力者が出て、新しい支配者として王となり地域を統治しました。王は支配が及ぶ地域を領内として、ローマにならって、領民が従うべき法と規則を定めたのです。西ローマ帝国を滅亡させてイタリア半島に住み着いたゲルマン系の民族は、自らを"ローマ人"と呼んでローマ帝国の後継者であることを誇示しました。西ローマ帝国が滅んだ後も、他の西ヨーロッパの諸王国は自分たちのことを"ローマ帝国の○○国"と呼んでいました。

　ローマ帝国が滅亡した後、成文化された統治手法はヨーロッパ中に伝わります。成文化した統治手法は、国を治める王も職業として義務と責任を明確にしました。全権である王はその権威の一部を次席に委託し、次席は王から受けた権威のそのまた一部を三席に委譲したのです。それぞれの権威の内容は明確に規定されているので、各ポストの義務と責任が明らかになっていました。全権委任は職責の範囲内での全権で、裁量範囲内で行動できる事項もありますが、フリーハンドではありません。もちろん、権威の一部だけが委譲されているにもかかわらず、権威の委譲をフリーハンドと誤解して、悪事を働く悪代官のような人がいなかったわけではありません。

　古代ローマ以来の統治の組織や手法について成文化された規則は、王政と共和制を問わず「ヨコ社会」のヨーロッパ中で引き継がれました。元首は王といえどもポストと考えられていました。ポストですから、機能と職務に関する

業務と義務が規則化されていました。王政の国の元首から
"俺がルールブックだ"と言って、全権を掌握する専制的な
皇帝が出てきました。共和制の国では元首の選び方が規則
化されていたので、候補者に元首になる「資格」があるか
ないかが重視されました。国を運営する行政組織の各ポス
トに就くためには、ポストの業務を遂行する能力が検討対
象でした。どのポストにおいても個人が持つ「資格」は能
力の証明として非常に重要でした。

　部族の王が支配する封建社会にあって、王に代わって領
内を修める階級として騎士が誕生しました。中世の十字軍
を指して「騎士道」の見本のように見る向きもありますが、
実態はかなり違っていたのかもしれません。所属するグ
ループの利益を最優先にして行動する国やリーダーや騎士
は少なくなかったようです。とはいえ、十字軍の名のもと
にヨーロッパ各国から騎士を募って国際部隊が編成された
のです。十字軍の派遣は「騎士道」の確立と共に「資格」
を優先する「ヨコ社会」の完成といえます。

　十字軍の騎士たちは宗教的で契約的でありましたから
「騎士道」は「武士道」と似ているところもあれば、違うと
ころもあったといえます。十字軍を編成するにあたっては、ヨ
コの関係が大切でした。国が生き残るためには隣の国の動
向が重要なので、ヨコの関係は国レベルで非常に重要視さ
れました。また、十字軍の構成員に見られるように、支配
者に限らず個人が持つ「資格」の程度は大切でした。「資
格」は民族を越えて騎士同士が相互に理解するための"モ

ノサシ"の役目を果たしていたのです。

　支配階級の人たちは言葉の違う他民族であろうとも、同じ支配階級の味方ということならば、大いに交流を深めました。支配階級レベルでは国力に強弱はありましたが、お互いに支配者であることから対等の付き合いがありました。ただし、他民族を味方にするときは、交流相手が同じ宗教であることが最低限の条件でした。ただし、商業においては違いました。たとえば、ベネチアは宗教の違うオスマントルコを相手に貿易を行って地中海の覇者となりました。

　イタリア半島がラテン語を母語としない部族に征服されてラテン語は死滅しますが、ラテン語が意味する単語はそれぞれの言語に引き継がれます。その結果、英語もフランス語もドイツ語も違う言葉ですが、今でも多くの単語がラテン語から派生しています。ヨーロッパ各国の知的な言葉にはラテン語から派生した単語が多くあります。ラテン語から変じた単語のつづりは似ており、ラテン語の言い回しは現代もそのまま使われています。たとえば、民主主義やヨーロッパという言葉やその概念などの欧米文明の基礎は、すべてギリシャ人が発明しました。今では死語になったラテン語はヨーロッパ各国の言葉に溶け込んで今も生き続けているのです。

2.2.3　ヨコ社会の発展－産業革命

　18世紀のイギリスで始まった産業革命は、中世に確立されたヨコの関係を強固なものにしました。出身場所や階級

にとらわれない人が、発明や発見によって新しい社会参加の「資格」を得てきたのです。とはいえ、階級制度が無くなった訳ではありません。生まれながらの「資格」はより強く社会に根付いていったのです。

産業革命は原料や市場を求めて海外へ出て行く力となりました。最初に産業革命を成し遂げたイギリスは、進出した海外の土地を自国の領土として植民地を築きました。大英帝国は世界中で植民地を経営して"太陽が沈まない帝国"といわれました。イギリスが植民地経営に優れていた背景には、騎士の精神を引き継いだジェントルマンの存在があります。とりわけカントリージェントルマンと言われる人たちの活躍がありました。彼らが海外植民地の経営に携わるようになったのです。彼らは階級の基となる「資格」をより強く体現する人たちでもありました。フランスを始め他のヨーロッパ諸国も海外に進出して植民地の経営を始めました。しかし、自国の統一が後れたり産業革命が遅かったりした国は海外進出に出後れて、先に進出した国並みの植民地を得ることができませんでした。海外領土の取り合いは、後々の世界大戦につながる原因の一つにもなっています。

植民地には満足できる教育機関はありませんでしたから、彼らが植民地の経営に携わる間の子どもたちの教育が問題になりました。そこで、彼らは本国に寄宿舎を持つ学校（ボーディングスクール）を作って、子どもたちを育てることを考えました。親が不在でも社会が子どもたちを一人前

に育てる教育システムを作ったのです。子どもたちは寄宿舎での生活を経験して、社会はどこまでも横につながっているのだということを体感したことが想像できます。

　話は変わりますが、組織運営に技術があると知ったのは、海外で英国人の組織と一緒に仕事をしたときでした。彼らは夏に3週間、冬に3週間の休暇を取りました。当然のことのように責任者も交代で休暇を取ります。責任者が不在の間、代行者が責任者に代わって組織を運営しました。責任者や担当者が交代することも少なくありませんでした。責任者や担当者が諸般の事情により退任すると、空いたポストに新しい人が赴任してきます。新任者の多くは他の組織から移ってきました。新任者は前任者と同じように業務を遂行して、責任者や担当者が交代したことを感じさせることはありませんでした。誰がポストについても業務の内容、程度、質が同じレベルで執行されたのです。人にはそれぞれ個性がありますから1から10まですべて同じというわけにはいきません。新任者の業務執行レベルは前任者と合同ではありませんが相似といった感覚でしょうか。

　誰もが同じようなレベルで仕事ができるのは、どうやら彼らは学校で標準的な仕事の進め方を学んでいるようなのです。大学卒の方も専門学校卒の方もいました。みなさんの学校は違うし学部や専門が違いますから、学んできた内容は違うようですが、仕事の進め方は同じやり方でした。違う背景を持った人が全く同じように業務執行ができるということは、標準化された業務執行の方法を実務として学ん

でいるからだろう、と想像できました。彼らの組織ではい
つ、なんどき担当者が変わろうとも引継ぎがすめば、組織
としては何事もなかったように運営されるのでした。みん
なが「組織運営の技術」を習得しているからだと感じたと
きでした。ヨーロッパの先進国では誰もが同じ経験レベル
を持っているならば、同じような組織運営に関する知識を
技術として持ち合わせています。個人が所属する「場」よ
りも一人ひとりの持つ「資格」を優先するヨーロッパの「ヨ
コ社会」は、産業革命後の近代社会でより発展したといえ
ます。

2.2.4　ヨコ社会の勝利－冷戦終結

　1945年2月に連合国として第二次世界大戦を共に戦った
アメリカとイギリスとソ連は、戦後処理構想についてクリ
ミア半島のヤルタで会談しました。5月にドイツが、8月に
日本が無条件降伏して戦争は終わりました。戦後、アメリ
カとソ連は資本主義と共産主義に分かれて世界を二分する
ようになりました。アメリカを盟主とする西側諸国は資本
主義、自由主義、民主主義を掲げる陣営内で、北大西洋条
約機構（NATO）を設立しました。ソ連を盟主とする東側
諸国の陣営は共産主義、社会主義、全体主義を掲げNATO
に対抗しワルシャワ条約機構を結成しました。両陣営が集
団防衛を任務とする軍事同盟を結んで"東西冷戦"が始まり
ました。

　1956年にハンガリーで共産党政権の権威と支配に反対

する住民のデモや蜂起（ハンガリー動乱）が発生しました
がソ連軍に鎮圧されました。1968年にチェコスロバキアで
始まった"プラハの春"と呼ばれた改革運動は、ワルシャワ
条約機構軍に鎮圧されました。東側で改革を求める運動が
たびたび発生するのは、権威による強権支配では自由を求
める住民を満足させることができなかったからです。軍の
介入を要請して武力で押さえつける弾圧しかなかったので
す。軍事的に厳しい緊張の"東西冷戦"は、西側諸国と東側
陣営の間に"鉄のカーテン"が降ろされているといわれまし
た。カーテンの中で何が起きているかわからない状況を探
るために、お互いにスパイ活動を盛んに行いました。当時
のスパイ活動は『寒い国から帰ってきたスパイ』や『ロシ
アより愛をこめて』で知ることができます。

　40数年続いた東西両陣営の冷戦は、ソ連経済の行き詰ま
りであっけなく終わりを迎えます。ソ連共産党書記長に就
任したゴルバチョフは1989年にマルタで、アメリカの大統
領ブッシュ（父）と会談して、"冷戦終結"を宣言しました。
"冷戦終結"で西側が標榜してきた資本主義、自由主義、民
主主義が正しいという風潮が世界に流れました。西側の人
たちは"冷戦終結"で資本主義、自由主義、民主主義が勝っ
たと思ったのです。

　実際"冷戦終結"で世界は大きく変わりました。ドイツで
はベルリンの壁の崩壊を招いて、1990年に東西ドイツが統
一されました。1991年12月にソビエト連邦は崩壊しました。
ソ連圏に属していた東欧諸国で強権的な支配者を追放する

革命が連続的に起きました。政治体制の変化に伴って軍事同盟にも大きな変化がありました。ロシアを盟主としてソ連圏の国が結んでいたワルシャワ条約に基づく軍事機構は廃止されて解散しました。ソ連の影響が強かった国では内戦が始まりました。地域的な民族戦争があちらこちらで勃発しました。かつては東と西に分かれた二つの陣営がにらみ合っていたのですが、ソ連が崩壊してからテロや紛争が頻発するようになったのです。アラブ諸国でも強権支配に対して"アラブの春"と呼ばれる大規模な抗議運動が起きました。国によっては軍による鎮圧もありましたが、多くの国で混乱と内乱は今も続いています。

　ソビエト連邦の崩壊後に独立した旧ソ連邦構成国とロシアは独立国家共同体（CIS）を結成しました。また、ロシアは周辺の6か国と集団安全保障条約（CSTO）という軍事同盟を結びました。CSTOに参加していない東欧の旧連邦構成諸国は、ロシアが国力を回復するにつれてロシアの脅威を感じ始めました。東欧の国々は利害が一致する軍事同盟のNATOに加盟するようになりました。このNATOの東方拡大が2022年のロシアによるウクライナ侵攻の原因の一つです。

　21世紀を迎えると、資本主義や自由主義と民主主義という一部の人たちの文化に過ぎない考え方を押し付けられるのはたまらない、という人たちがあちこちで息を吹き返してきたのです。世界中で独裁的で強権的な指導者は減るどころか増える傾向にすらあります。民主主義が正か否かは

簡単にはコメントできませんが、歴史上、独裁的な“力”による支配が長続きした例がないことははっきりと言えます。

2.2.5　ヨコ社会の葛藤－文明の対話

　ヨーロッパは中世の暗いイメージの時代から14〜16世紀のルネサンス運動で明かりが見えてきました。18世紀後半のイギリスで始まった産業革命によって社会の近代化が始まり明るいイメージは定着します。産業革命以来、ヨーロッパの主要国は世界の最先端を歩み続けて、現在も先進国として振る舞い続けています。産業革命を経て国力を蓄えて強くなったヨーロッパの先進国は、アフリカやアジアの未知の地域を力で征服して植民地にしました。植民地の経営は宗主国が絶対の正で現地の文明や文化の多くは無視されました。各植民地の異なる文化にかかわらず、先進国の植民地経営は“力”によるものでした。植民地行政の業務執行は本国と同等の手法で行いました。

　戦後に独立した国々は、社会の運営を植民地時代に行われていた手法を踏襲しました。国や地域によって違いはありますが、彼らの業務執行の基本は宗主国風です。これらの国や地域では、組織の参加者に属性の違いはありますが、多かれ少なかれ全員同等の資格で参加しています。参加者は組織内のポストに与えられた職務と権限の範囲を理解しており、対等の立場での組織参加を可能にしています。会議では各ポストの業務範囲内での対等の議論が許されていますし、実際に対等に議論しています。

　ヨーロッパの国々はラテン文化の果実である古代ローマの統治手法を基本としていますが、世界の国や地域は、部族が違えば風俗習慣が違います。ヨーロッパの中にも産業革命を早く成し遂げた国と、後れて伝わった国があります。先に力を持った国は、後れてきた国の文化や考え方を理解せずに、彼らを対等には扱いませんでした。ヨーロッパの後れて出てきた国が、基本的に古代ローマのラテン文化の影響を受けていたにもかかわらず、先進国は自分たちを正として、後れて出てきた国の伝統、文化、考え方、意見を受け入れしようとはしませんでした。国によって発展の程度が違うのは、能力の違いではなくて文化の違いです。しかし、後れて出てきた国は総じて交渉力が弱く、自分たちの文化や考え方を説明し理解を得ることは上手ではありません。後れて出てきた国には話し合いで相手を説得する交渉力が十分にありませんでした。彼らが自分たちのアイデンティティーを証明する手段として、武力で訴えざるを得なかった面があったことは否定できないかもしれません。

　20世紀は"力"（ハードパワー）の世紀で、文明・文化（ソフトパワー）が対等に評価されるには21世紀を待たなければなりませんでした。21世紀になっても、自分たちのアイデンティティーを訴えるため力に頼る国や地域は一向に減る気配を見せません。現に2022年2月24日にロシアはウクライナに侵攻しました。大国といわれる国も小国も、相手の違う文化の存在を互いに尊重し認め合う関係を築くことが求められているのです。

ヨーロッパの「ヨコ社会」が古代ギリシャ・ローマの文明・文化から発展したことは間違いありません。古代ローマのラテン語の単語が、今もヨーロッパの主要国の言葉の中に生きており、中等教育課程にラテン語クラスがあることが証明しています。西側の指導者がラテン文化を理解して身に付けることは、知識人として最低限必要とされる教養です。しかし、ヨーロッパにはラテン文化を共有していない国はたくさんあります。そうした国の指導者はラテン文化を知ってはいますが、教養として身に付けているわけではありません。彼らは、彼らの文化に基づいた教養を身に付けているからです。教養とは互いに違う文化があることを知って、立ち位置の違う人たちが共生する道を歩めるように対話ができる能力のことです。今、大国の指導者に最も求められていることです。

2.3　タテ社会とヨコ社会の邂逅

　洋の東西を問わず、私たちは大昔から異文化と交流することで発展してきました。

2.3.1　異文化の経験

　1960年代の香港にはどことなく"暗黒の街"というイメージがありました。1971年にマクルホーズ総督（在位1971-1982）が着任すると、腐敗の払拭と社会基盤の整備を進めて香港発展の基礎が作られました。以来、1997年の香港返還（祖国復帰）まで西と東の協働が深化して大発展しました。

　香港地下鉄建設プロジェクトで西と東の文化が初めて本格的に出会いました。香港地下鉄建設工事は西の「ヨコ社会」と東の「タテ社会」が、お互いに遠慮しながらしっかりとタッグを組んで成功裏に完成した国際プロジェクトでした。設立されたばかりの香港地下鉄路公社は、英語圏の国から「資格」別に選考された職員によって運営されていました。たとえば、技師（Engineer）と監督官（Inspector）は全く違う資格で、経験年数で昇格するポストではありませんでした。日本の会社のように経験年数によって上のポストに就くというシステムではありませんでした。

　工事区間ごとの契約で集まった施工会社の中で、外国の施工会社は世界中から「資格」別に雇用した職員で現場運営を行っていました。日本の施工会社は終身雇用の日本人

職員が現場監督を担っており、業務と責任は会社内の伝統文化に基づいて行われていました。「ヨコ社会」の各ポストの業務内容（Job Description）は明確でした。誰の指示で仕事をして報告するか、どのような記録を残して、どのような報告書をいつ作成するか、いつどのような協議をするかなどが詳細に決まっていたのです。業務内容などが何となく決まっている年功序列の日本の会社しか知らない私たちの目には外国企業の運営手法に新鮮な驚きがありました。

　赴任して間もないころ、香港人の同僚に男の子が生まれました。本人が父親になったことを知らせながら葉巻を配りました。誕生祝を自ら配って回ったのです。また、英語人のエンジニアが転職するとき、お世話になった友人や同僚を招待してお別れ会を開催しました。どちらも、まわりが段取りをするのではなくて、当人がアレンジし、当人が負担してお礼したのです。それ以来"日本だとこうなのに"という思いは捨てました。日本の外に出れば、そこはもう日本ではありません。彼らには彼らのやり方があるのです。日本にも "郷に入りては郷に従え。Do at Rome as the Romans do." ということわざがあるではありませんか。のこぎりや鉋を押して使う人たちの異文化を実感したときでした。日本と反対なのは、苗字と名前の順番だけではありません。

　英語で苦労したことの一つに否定の疑問文の応え方があります。"しなかったの？"と聞かれたとき、実際にしていなかったら、日本語は"はい"と言って相手の質問を肯定し

てから"はい、していません"と応えます。英語は"No"と言って最初に"ちがう"と否定してから"No, I did not."と応えます。"Yes, I did not."とは言いません。自分を中心に"Yes"とか"No"と言うことは、いつも自分の考えを明確にしないと生きていけない「ヨコ社会」の生活の知恵から出たのでしょう。それに比べて"はい"と相手の言葉を肯定してから、自分のことを言うのは、謙譲を美徳とする「タテ社会」の美しい習慣と思えます。

英語圏のローイングクラブで、付きフォア（舵手1名と漕手4名）クルーの一員として参加したときのことです。"練習は土曜日の午後2時"と言われたので、行くと他のクルーメンバーも時間どおりに集まっていてボートに乗り込みました。ボートを出すとすぐ4人全員で漕ぎ始めたのです。日本ではクルーが集まると"みんなで一緒に"準備体操をしてから艇を出しました。乗艇後は二人交代で漕いで、体を温めてから全員で漕ぐ練習が始まりました。彼らの練習はクルーの集合時間に艇を出すと、すぐに全員で漕ぎます。集合時間までに体調を整えて準備しておくことは、クルーの一員として当たり前という考え方です。練習内容と練習時間の違いを感じました。

家庭内は別として、組織内でお互いに名前で呼び合うことがない日本では普通、年長者に対しては"さん"付けするか、役職名で呼びます。相手が部下であっても年長の場合は"さん"付けで呼び、苗字を呼び捨てにすることはありません。あるイギリス人の父親が「先日、息子が初めて俺の

ことを名前で呼んでくれた。息子は一人前の大人になった」と言って喜ぶのです。それまではダディーと呼ばれていたそうです。その日から彼と息子さんは対等の関係が始まったのだと思いました。

　中国系アメリカ人でテニスの上手な人がいました。アメリカ人と中国人と3人でテレビを見ていた時のことです。中国人が「彼は中国人だ」と言うと、アメリカ人は「いや、彼はアメリカ人だよ」と言い返すのです。中国人にとって国籍はあくまで借り物で、どこの国籍であろうとも漢民族であれば中国人という考え方です。アメリカ人としては出自や人種にかかわらず、アメリカ国籍を持っている人は、すべてアメリカ人だという解釈です。漢民族ではない中国人の場合は、何人なのでしょうか。

　またある時、日系アメリカ人でスケートの上手な選手がいました。日本のメディアは"日系アメリカ人"と報道しており、日本のメダル獲得数には入っていませんでした。ノーベル賞には日本生まれでアメリカ国籍の日系人を日本人受賞者の数に入れているそうです。日本生まれであれば日本国籍を持っていなくても日本人で、日系人とは言わないようです。

　ヨーロッパの田舎では、工場とは言えないような作業場で若者が働いているのをよく見かけます。彼らは小さな村や町に住んで穏やかな生活をしているようです。村には気の利いたレストランがありますし、近くの町へ行くと演劇やコンサートがあります。時として野外で公演があります。

子どもたちが遊んだり、ピクニックが楽しめたりする公園があります。しかも、大都会のような人混みがありません。学校はもちろんのこと、シニア世代が過ごす設備も完備しています。彼らは、生まれ育った地域で十分に豊かな生活ができるのです。彼らには古里の村や町から出て大都会へ行く理由がありません。

　ヨーロッパから教わったことはたくさんありました。ヨーロッパのスタンダード（標準規格）が国際的に広く使用されていることを経験しました。アメリカの諸規格は海外のアメリカ軍駐留基地以外ではあまり使われていなくて、国内的な標準規格であることもわかりました。ヨーロッパには悪いお手本もたくさんありますが、国の大きさや人口から、政治形態や文化的にも教わることがまだまだあることは間違いありません。

　日本は長い歴史を持つヨーロッパの国々をもっとお手本にするべきだったのではないでしょうか。私たちの国は、古代中国をお手本にして目覚ましい発展をしてきましたが、明治時代に参考としたのはヨーロッパの国々でした。現在の"後れ"を招いた原因の一つに、全く歴史も規模も違う国を参考にしてきたことがあります。確かに、デジタルの世界ではアメリカの規格が世界標準として定着しています。アメリカは古代ギリシャ・ローマの文化を基礎に持っていますが、あまりにも大きな国で規模が違いすぎるように思います。規模が日本と同じようなヨーロッパの国々は今でもお手本になるところがたくさんあります。お手本を見直

せば"後れ"を取り戻すことは可能です。

2.3.2　空気と異文化

「タテ社会」では組織内でも組織外でも同業であれば「場」を重要視してきました。「資格」に関係なく「場」を共有するみんなが一緒に進む運営が行われてきたのです。多くの組織で給料は横並びで、資格を取ってもお祝い金程度で済まされてきました。「資格」に応じた給料体系ではありませんから「資格」を取っても給料が増えることはありません。組織に所属する限り「資格」は「場」より優先されることはありませんでした。どこの社会でも時と場合によって「場」と「資格」のどちらかを優先してきましたから「場」と「資格」はどこの社会でも固定されていたわけではありません。

　たとえば、平安時代の「タテ社会」は「資格」が「場」よりも優先されていましたが、現在の私たちの「タテ社会」は「場」が「資格」より優先されています。なぜならば「場」の有力者たちが、既得権を手放そうとはしないからです。組織の責任者が「場」の空気を変えて社会の参加者の意欲を後押ししないので、日本が相対的に後れてきたことは、当然と言えば当然の結果です。「資格」よりも「場」を優先する今の日本の「タテ社会」ですが、時と場合によって「資格」を優先するときがありました。しかし、「タテ社会」の土台のままで「資格」を優先する「ヨコ社会」をマネした日本型を作るだけでは、似て非なるモノにならざる

を得ません。日本型「タテ社会」で「ヨコ社会」を装っていたのです。前に進むためには社会の基礎をなす環境の見直しが不可欠です。

現在の日本はバブル経済の崩壊以降、停滞した社会から抜け出せていません。特に、IT戦略などで後れを取って、先進国から脱落の危機にあります。停滞した社会を招いている原因は、変化する世界に対応できなかったからだという話や、前に進むにはこの分野を伸ばすべきだといった論評が多くなってきました。しかし、本当に修正しなくてはならないのは、私たちの社会に流れる時代とずれている空気と組織運営と業務執行のあいまいなルールです。

社会に流れている空気は、差別的な習慣や説明のつかない規則を既得権よろしく後生大事に守り続けている人たちの振る舞いが作る言動でよどんでいます。世代が変われば変わってくるだろうと希望的観測を漏らす人もありますが、責任ある立場の人が変わる姿を見せない限り、空気は自然に変わるものではありません。無駄に時が過ぎるだけです。空気を変えることができるのは責任者です。痛みを伴っても空気を変えるために、既得権を放棄する意思が責任者にあるかないかです。社会に流れる空気を変えなければ、"後れ"を取り戻すことは困難です。手始めに、責任ある立場の方たちが先頭に立って、雰囲気を変える行動を起こしてみてはいかがでしょうか。先進国を続けるか普通の国になるかは、ひとえに責任ある人たちの決断にかかっているのですから。

"3周後れ"といわれている私たちの社会を先進国転落の危機から救うためには、具体的な策が必要です。コロナ禍で明らかになったIT分野の後れは、先進国転落の危機を象徴していますが"後れ"の原因の一部でしかありません。"3周後れ"の主な原因は拙い組織運営の手法にあります。組織の運営は、今も後れてはいないであろう「モノつくり」の技術（ハード）と対をなすソフトの技術です。ハードの技術と車の両輪のように、対をなす組織の運営という「コトの営み」の技術（ソフト）を見直すことが必要です。組織運営の手法を検証して運営の生産性をあげる改革をすれば、先進国脱落の危機を乗り越えて、先進諸国に追いつくことは可能です。組織運営の生産性を挙げる改革をして"後れ"を取り戻すためには組織運営の手法を標準化することが最初の一歩です。次に、今より少ない人と時間で成果が挙げられるように組織運営の手法（ソフトの技術）の見直しが不可欠です。

　私たちはこれまで目指す社会のお手本として、あるいは比較の対象として、絶えずアメリカを見てきました。アメリカの一挙手一投足が私たちの社会に影響してきたことは否めません。今"後れ"を取り戻して前に進むために社会の土台を見直す時がきても、引き続いてアメリカの文化を見習うべき社会の中心におくことは合理的でしょうか。私たちがお手本にするべき相手は、日本と同じように長い歴史を持ち、国の規模が似ているヨーロッパではなかったでしょうか。かつて、古代中国の文化を取り入れて国風文化

を作り上げたように、ヨーロッパの文化を勉強して、日本型を創ることには合理的な意味があるように思われます。

❸ 今そこにある課題

　課題は大きく分けて二つあります。一つ目は「ハードの技術」と「ソフトの技術」がシンクロしていない社会運営による課題です。二つ目は社会の基礎となる「平等」、「公平」、「公正」の欠如した社会運営による課題です。

3.1　古い空気と新しい雰囲気

　日本の社会が抱えている課題は、社会運営に責任ある人たちが時代の空気の変化を読めなかったのではなく、新しい雰囲気に伴うであろう痛みを避けてきたからです。

3.1.1　ハードの技術とソフトの技術

　"Japan as Number 1" と言われたころの会社経営は、日本型と言われて称賛されました。日本型経営は「終身雇用」、「年功序列型賃金体系」、「企業内労働組合」の三本柱と「新卒一括採用制度」を柱とした日本独自の経営形態です。個人の能力よりも組織の伝統を重視する経営です。先進諸国の会社経営とは全く異なっていました。日本型経営は個人が持つ「資格」や属性よりも、出身校や所属する組織の名前を重視してきました。組織には上下関係がありますから、他の組織の人と話をする場合は組織名の下で交渉すれば力

が発揮できました。自ずと対等の交渉や話し合いは必要ありませんでした。

　どの組織にもモノを作る部署と組織を運営する部署があります。技術にはモノを製造したり制作したりする「モノつくり」の技術（ハード）と組織を運営する「コトの営み」の技術（ソフト）があります。「ハードの技術」は有形の製品や無形の作品を作る技術で「ソフトの技術」は社会を運営する技術です。技術者はより良いモノを求めて、人と話し合いをするよりもモノとの対話に集中してきました。「モノつくり」の技術にはモノとの対話は重要ですが「コトの営み」の技術は人との話し合いが重要な要素になってきます。「コトの営み」の技術は「平等」、「公平」、「公正」な社会において、初めて「モノつくり」の技術と同じ力が発揮できます。

　バブル経済のころから有形（工業製品）と無形（設計や芸術作品）に限らず製造、制作や創作の技術に頼ってきた日本社会に異変が生じました。「モノつくり」の技術と「コトの営み」の技術がシンクロしていないことが明らかになってきたのです。日本が先進諸国から後れたのは、二つの技術のバランスの悪さにあります。私たちが抱えている課題の多くは、時代の変化に合わせて伝統的な「タテ社会」の運営を修正してこなかったことから生じています。人口が減る中で日本の立ち位置を守っていくためには「コトの営み」の技術の土台と構成要素を見直すことが必要となります。

先進国では二つの技術が車の両輪のように同じレベルで一緒に回っています。先進国の「ソフトの技術」は組織を運営するときに"参加者は対等"という基本的な認識に基づいた土台と、業務執行に必要な作業の標準化された詳細手順が社会全体に共有されているという基礎があります。日本の「ハードの技術」は世界でトップレベルの水準ですが「ソフトの技術」は決して最先端ではありません。パラダイムシフトが起きているにもかかわらず、組織運営を適切に改善してこなかったからです。長い歴史ある「タテ社会」を変える必要はありません。「タテ社会」を生かしたまま、社会運営の手法を改善すれば解決できます。

　私たちが目指す社会は、みんなが「ソフトの技術」を身に付けることで誰が、いつ、どこで、どの組織に加わろうともすぐに力が発揮できる社会です。標準的な日本型の「ソフトの技術」を確立して、学校で学べるようにすれば、誰もが組織から組織へ移動しても、すぐに実力が発揮できるようになります。社会運営の手法を改善すれば、現在の"後れ"を取り戻して先進国並みを維持することは、困難なことではありません。

「ハードの技術」が「ソフトの技術」に優先するようになったのは、明治時代です。明治維新を成し遂げた政府は社会の近代化を目指しました。明治政府が「モノつくり」の技術を持つ専門家を招へいして、最新式の機械を輸入して製造業を立ち上げたのが始まりです。近代化を短期で達成するため「ハードの技術」を優先せざるを得ませんでした。そ

の後、日本の製造業は順調に発展を続けて現代につながっています。近代化のため先進諸国から学んだのは、機械による「モノつくり」産業だけではありません。政府組織のカタチとその裏付けとなる法律の整備のため、政府は先進国に視察団を派遣して政府の運営手法を学びました。政府は法律などの無形のモノは日本型に編さんして導入しましたが、社会の運営手法は取り入れませんでした。幕藩時代に完成した独特の組織の運営手法を踏襲したからです。欧米の統治手法は幕藩体制の手法とあまりにも違いすぎて、日本社会の運営に適応できるとは考えられなかったのです。明治政府は新しい社会統治を目指しましたが、伝統的な将軍家の"力"による運営手法を引き継ぎました。政府の社会統治の基本方針は、江戸時代と同じ「民は由らしむべく、これを知らしむべからず」でした。

　明治35年に米国を訪問した渋沢栄一は、近代的な施設を視察してまわって工場の大規模なことに驚いています。規模の割に事務所は小さく、運営管理者が少なく若年なことを知ってもっと驚いています。日本の工場は小規模なのに事務所が大きく立派で間接部門に多くの人がいると言うのです。彼によると、明治44年の日米交換教授計画で来日された方が日本を観察して別れの時に「日本の組織運営は少し形式にとらわれすぎているのではないでしょうか。形式を重んじることはいいのですが、形式を守ることが目的化しているように見えます。いかがなものでしょうか」と感想を述べたそうです。形式を守ることと上司に忖度するこ

とのために、必要以上に多くの人がかかわっているとしたら、本末転倒というべきではないでしょうか。残念ながら、明治時代のハードとソフトの技術がバランスを欠いた社会運営は現代も続き、今の停滞した社会を招きました。「タテ社会」の負の面といえるかもしれません。

　組織運営には確立された技術があります。組織運営の方法を変えなければ、日本が遠くない将来に極東の小さな"普通の国"になることは避けられそうにありません。"普通の国"でもいい、"普通の国"で何が悪いという見方もありますが、その時G7の一員として、他の先進国と対等の話し合いができるでしょうか。今まで通りの「モノつくり」の技術に頼って"普通の国"になるか、謙虚に「コトの営み」の方法を修正するかは、これからも先進国の仲間を続けられるか、先進国から滑り落ちるかの分かれ道です。私たちは今、コロナ後の社会環境に適応して先進国の仲間に留まるか留まらないかの岐路に立っているのです。当然のことながら、"後れ"を取り戻す運営手法を改善する施策には時間と費用がかかります。費用については予算措置が必要となりますので、国家予算をはじめ各組織においては予算の見直しが不可欠です。改善計画を立てて実行し効果が出るまでには時間はかかります。しかし、改善の一歩を今踏み出せば決して遅すぎることはありません。

3.2 モノつくり－「場」と「資格」

「タテ社会」の運営は「資格」（属性）よりも「場」（所属）を優先してきました。

3.2.1 製作と制作と創作

　最近の状況を見ますと、今の日本の立ち位置は決して高いとは言えません。私たちは現在の立ち位置を確認して、もはや先進国とは言えない状況にあることを謙虚に認識する必要があります。世界の流れを認識していても、既得権益を守るために従来の路線を歩み続けるとしたら"3周後れ"では済まなくなります。"後れ"を招いている原因を正しくとらえて、適切な対策を検討することは喫緊の課題です。

　かつての日本製品は舶来品の物まねで"似てはいるが非なるもの"で"安かろう、悪かろう"が定着していました。日本製品のイメージは、高度経済成長期の製造業が変えたのです。日本の高度経済成長を支えたのは間違いなく製造業です。日本を先進国に押し上げた立役者は"重厚長大"と"軽薄短小"と言われた製造業です。洗練された「モノつくり」の技術が生み出す日本製品は好調な輸出を続けてきました。高度経済成長期の日本は"エコノミックアニマル"とも"日本株式会社"とも言われました。イタリアの業者と仕事をしたとき「前の戦では負けたけど、今度は勝っている」と言われたほど、日本の経済は強く存在感がありました。

　日本の発展は「モノつくり」の技術が支えてきたのです。

繰り返しますが、「モノつくり」には有形のものを作る製造業と無形の設計業務や作品を創作する芸術活動があります。モノに形があるとなしにかかわらず、製造の技術者は製品と、設計の制作者は成果物と、文学や音楽や美術の芸術家は作品と対話してきました。技術者の限りないモノとの対話と、広くて深い豊かな基礎研究に支えられて、日本の製造業は先進国の最先端を走り続けてきました。「モノつくり」は、私たちみんなの高度経済成長期の成功体験としてDNAに深く刻まれています。

　日本の好景気を支えたのは「モノつくり」の技術者だけではありません。日の丸を背負って最先端で働く輸出産業の優秀な営業マンがいたのです。彼らが大きな態度でいられたのは、日本の製品は高くても高品質だったからです。日本の製造業は世界中の消費者を満足させる製品を大量生産して世界の果てまで輸出してきたのです。しかし、1968年以来世界第2位のGNPを誇ってきた日本経済は、1973年以降は安定期に入りました。製造業がトップを占めた期間は長くは続きませんでした。後続国は品質が同等かそれ以上の製品を安い価格で次々と出してきたのです。後続国はより良い製品や新しい製品を作る技術を学んで日本を追い抜いてきたのです。後続者たちは日本の「ハードの技術」をお手本にして、「モノつくり」の技術を習得した結果、日本に追いついて追い越していきました。彼らは日本から「ハードの技術」を手に入れましたが、「ソフトの技術」は見聞することだけに留めおいて、自分たちの組織運営の参考には

しませんでした。彼らの多くは植民地経験などを経て、先進国の運営手法が根付いていたからです。

　日本の高度経済成長を支えた製造業のシェアは全産業の3分の1ほどありましたが、今では5分の1に過ぎません。産業に占める製造業のシェアが大幅に減少しているにもかかわらず、製造業中心の社会運営が続けられてきました。社会運営が製造業の「ハードの技術」に偏ってきたことに"後れ"を招いている原因があります。このまま「モノつくり」の技術に頼り「コトの営み」の技術を時代に合わせる修正をしなければ"後れ"を取り戻すことが難しいのは明らかです。世界でもトップレベルにある製作と制作と創作という「モノつくり」の「ハードの技術」に見合う、「コトの営み」という組織を運営する「ソフトの技術」が追いついていかなければ"後れ"は取り戻せないのです。「モノつくり」の技術に頼るだけでは、今の停滞から抜け出せないことは明らかです。

3.2.2　社会資本整備

　ハードの技術による「モノつくり」の一つに社会資本の整備があります。社会資本は、水道や下水と電気やガスなどのライフラインと呼ばれるインフラや、道路や鉄道と港や空港などの交通インフラ、電話やインターネットなどの通信インフラです。英語でUtilityといわれる上下水道の施設や発電設備、通信網などは、私たちの日々の生活を支えるライフラインとして、十分ではありませんがおおむね先

進国なみに整備されていると言えます。しかし、再生可能エネルギーによる発電設備やIT産業に不可欠なデータセンター、生活道路の歩道整備や自転車専用道路、水害対策や河川の改修などの分野では、未だに先進諸国並みとは言い難い状況です。社会資本の整備は、既存インフラの維持管理と並行して進めていかなければならないので、整備にかかる費用は半端ではありません。これから、既存設備の維持補修にかかる費用が増大していくことが想定されますので、予算の使い方の見直しは喫緊の課題です。

　日本のインフラがいまだに先進国並みに整備されていない理由は、明治時代の近代化政策にあります。明治政府は「版籍奉還」を諸大名に命じて中央集権を達成して資金を集めましたが、近代化に必要な費用の予算に余裕はありませんでした。明治政府は近代化のために豊富ではない資金をつぎ込みました。先進国から学んだ"一流国"のカタチを目指して「富国強兵」と「社会資本整備」に集中したのです。国つくりのため社会資本整備に必要な専門知識を持つ西洋人を高い費用で招へいしたので、社会資本の整備そのものは最小限にとどめざるを得ませんでした。また「モノつくり」の技術を持つ専門家を招へいして、最新式機械を輸入し多くの製造業を立ち上げました。

　明治政府は政府と軍隊の近代化を約30年で成し遂げました。他国との戦争にも勝ちました。その後も"一流国"を目指して50年後には先進国と対等に渡り合う力を持つまでになりました。欧米先進諸国が数百年かけて作り上げた

近代的なインフラに比べますと、約30年でインフラを整備して"一流国"の仲間入りをした日本はよくやったというしかありません。予算も時間も十分ない中で進めざるを得なかったインフラ整備が、今から見るとぜい弱なのは仕方なかったといえるかもしれません。都会では再開発が進んでいますが、未だに全国で基本的な社会資本の整備が必要となっています。その理由は明治時代の"一流国"を目指した近代化の在り方にあったのです。

敗戦後、驚異的な復興を遂げた日本は、世界の仲間入りを目指してオリンピックの夏季大会の開催地に名乗りをあげました。1959年のIOC総会で1964年の第18回オリンピックの開催地に東京が選ばれました。1960年になると東海道新幹線と首都高速道路の建設は国家的事業として進められました。地方に新幹線が引かれると東京との所要時間が短縮されて、手軽に首都圏との往来が可能になり地方の生活が豊かで"便利"になると言われていました。高速道路網の整備は、新幹線と同様に人の移動を"便利"にした以上に物流を大きく改善しました。道路網の整備はまだまだ十分ではありませんが、高速道路網は少なくとも地方の生活を豊かにしてきたといえます。

東京2020オリンピックでは多くの設備が新設あるいは改修されました。新しく建設された施設では、今後の赤字経営が予想される施設があります。地方には首都圏の4分の1のスポーツ施設もそろっていませんから、ぜいたくな悩みです。最近では地方の文化施設も整ってきましたが、運

営赤字が心配になる施設が多くあります。スポーツ施設も文化施設も利用が進まないという「コトの運営」に悩みがあるようです。

　新幹線網の整備は運転開始以来50年たって、当初の想定とは全く反対のことがおきています。新幹線を利用すると手軽に故郷へ帰れますから、仕事のある首都圏に住むほうが故郷に住むより"便利"だ、ということが明らかになってきたのです。首都圏は仕事があるばかりではなく、質の高い文化が享受できます。地方に住むと経験できないような生活ができるので、多くの人が仕事の選択肢の多い首都圏で働くことを選びました。新幹線ができて移動が"便利"になりましたから、若者たちは首都圏に住むようになったのです。首都圏には世界中の料理が楽しめるレストランがあります。いろいろなコンサートもあります。劇場公演があります。メディアがそろっていますから、多くのテレビ番組は東京のキー局で制作されています。人が集まるから首都圏には若者が楽しめるソフトのインフラが集中しています。

　地方のインフラ整備は箱もの（ハード）を中心に整備されてきましたが、施設を生かすソフトのインフラ、たとえばレストランや映画館、コンサート、劇場公演、美術館の展覧、博物館の展示等の面では、多くの地方都市で首都圏と同等の文化を供給するまでにはなっていません。多くの人が首都圏へ出て行ったために、地方は人口減少と住民の高齢化が進んでいます。結果として、多くの地方都市は若

者が好む"便利"な生活空間とは程遠い状況になっています。人が集まれば、子どもも増えます。ハードのインフラ（ニワトリ）が先かソフトのインフラ（たまご）が先か、の議論のようにみえますが、ハードもソフトもインフラ整備を進める車の両輪です。片方だけでは進むことはできません。

　東京発の新幹線が地方の衰退と一極集中を招いた原因の一つであることは間違いありません。にもかかわらず東京発のリニア中央新幹線が建設中です。完成した時にどんな"便利"があるのでしょうか。また、地方で新幹線の建設が続いていますが、完成すると在来線に比べてどんな"便利"があるのでしょうか。一方で、全国の鉄道路線網のうち1日の利用客が1,000人以下で存続の危機にさらされている地方路線が61路線あります。かつて、遠く離れた町や村に中核都市から進んだ文化を届けてきた鉄道が廃線の危機に立たされているのです。高速道路が整備されていないころは、鉄道は人と物を運ぶ"便利"な手段でもありました。誰もが車を持つことができる時代が来て、道路が整備されてくると、ローカル線を利用するのは、通学生と年配の人が多く、通勤で利用する人は少なくなりました。

　また、インターネットの発達は、情報の物理的な運搬手段を必要としなくなりました。高速道路は全国を結ぶ大動脈になっていて、物と文化の配達に寄与しています。全国に高速道路網を張り巡らすことは、必要なインフラ整備かもしれません。しかし、身近な生活道路のインフラ整備を忘れてはいけません。市街地に多い歩道のない道路や、自

転車道のない街道筋は危険と隣り合わせです。今、最も求められているインフラは、高度経済成長期に社会資本整備の中心をなしていたビッグプロジェクトではありません。地方の衰退を招いた都会の“便利”を追究するインフラ整備は見直すときに来ています。地元のインフラを整備すれば、文化レベルの向上が可能となり先進国脱落の危機を抜け出す一因を創出できます。大都会以外での社会資本整備は、一極集中を是正し地方を元気にできる可能性がありますから検討して速やかに実行に移す必要があります。

3.3　人つくり－「平等」と「公平」

　これまでの日本社会は「ソフトの技術」を重視してきませんでした。

3.3.1　労働生産性

　日本は1968年に当時の西ドイツを抜いて世界第2位の国民総生産（GNP）を記録しました。そして2010年には中国に抜かれて第3位に転落しました。現在も国内総生産（GDP）は3位ですが、労働生産性は先進諸国の中では最も低くなっています。2021年の時間当たり労働生産性はOECD加盟38か国中27位です。製造業の労働生産性は少し良くて18位となっています。一人当たりの労働生産性では37位（OECD加盟38か国中28位）でした。これはシンガポールの約半分です。日本の製造業はモノをいかに効率的に製造するかを追い求めてきましたから、非常に効率的にモノを製造する技術を持っているという自負があります。確かに製品の生産性は先進諸国と比べて決して低くはありません。低いのは労働全体の生産性で先進諸国の6割くらいです。

　生産に携わる労働の生産性と管理に携わる労働の生産性を合わせて、平均した指標でみると、日本の労働生産性は低くなってしまいます。日本は組織を運営する業務に先進諸国より多くの人と時間をかけているからです。運営業務の執行により多くの人がより多くの時間をかけている結果

として、一人当たりの所得は抑えられることになります。一人当たりの国民総所得（GNI）は33位です。組織運営の労働生産性が低いことが原因で順位が低くなっています。

　労働生産性にはブルーカラーとホワイトカラーとに分けた指標はありません。一般に日本のブルーカラーの労働生産性は高く、ホワイトカラーの労働生産性は低いといわれています。ブルーカラーは直接「モノつくり」に携わっている人を指して、ホワイトカラーは組織の運営に従事している人を指すとすると、18位は高いブルーカラーの労働生産性と低いホワイトカラーの労働生産性を合わせて平均したものといえます。労働生産性を製造業と非製造業に分けた指標によりますと、製造業の生産性は非製造業に比べると少し高くなっていますが、違いは大きくありません。労働生産性の指標を業種別に分けることに大きな意味はなく、職種別の指標が重要となります。

　労働生産性の改善についての論文も少なくありません。百家争鳴の中で、具体的にどのように改善すればよいのか、よくわからないというのが現状ではないでしょうか。フレデリック・テイラー（1856 - 1915）は100年以上前に「科学的管理法の原理」で統一的な管理手法の確立を目指しました。工場現場の観察から作業の物理条件と作業能率の関係を研究しました。その結果、作業員間の非公式ルールや人間関係が生産性に大きく関与していることがわかったそうです。組織内で作業員間の非公式ルールが長年にわたって適用されていないでしょうか。組織内の人間関係は「平

等」と「公平」を考慮して運営されているでしょうか。組織の運営は「公正」に行われているでしょうか。今、すべての組織で運営規則の検証が必要です。

　"みんなで一緒に"仕事をする形態と、長時間労働は今もって改善されていません。日本型の働き方は"後れ"を招いた原因の一つとなっています。"後れ"を取り戻すためには、生産の労働生産性の改善を続けるのは当然のことながら、「コトの営み」である組織運営の労働生産性の改善が必須の要件となってくるのです。労働生産性の改善するためには、現在行っている業務をより少ない時間と人で行うようにすればいいのです。特に、組織を運営する部門と業務を執行する部門の改善が必要となります。組織を運営する部門の労働生産性の改善は、組織運営の基となっている基本的な考え方を修正することです。業務を執行する部門の労働生産性の改善は、業務執行の基本となっている作業手順の標準化です。労働生産性を改善するための改善方法は、単なる人員配置の合理化ではありません。日本型の「コトの営み」の標準的な技術を確立して共有することです。作業の手順を検証すれば、過剰な人員配置の見直しと作業の標準化ができるようになります。

3.3.2　ジェンダーギャップ

　世界経済フォーラムによると2022年の日本のジェンダーギャップは146か国中の116位です。特に、政治部門の139位と経済部門の121位はとても先進国とは言えない状況

にあります。教育部門は1位で、教育を受ける面での男女格差はないようです。日本社会における女性の活躍が男性に比べて未だに低い状況にあるのは、長らく続いた侍社会、特に江戸時代の家制度による「タテ社会」にあります。家制度の下では男女の作業分担は明確に決められていました。日本の近代化は明治時代に進みましたが、男女の役割分担は私たちのDNAに刻み込まれている習慣を踏襲しました。男女平等がうたわれても、男女格差を解消するのは簡単ではありません。日本社会の運営に参加する人の性別割合は、明治時代から大きく変わっていません。多くの日本の組織では未だに会議になると、男性のみが決定権を行使しているように見えます。江戸時代に行政や司法の組織運営が世襲の武士身分の者（男性）だけに許されていたころとほとんど変わっていません。

　男女の作業分担は人類誕生以来続いています。人間社会における男女間格差の歴史は古く、男女の作業分担と共に始まったと考えられています。したがって、改善努力を続けてきた先進諸国といえども、未だに完全に男女間の格差をなくしているとは言い難い状況です。まして、近代化から200年もたたない日本においておやです。

　日本で女性が、政治や経済界や学界で男性と対等に社会へ進出できなかった理由が三つあります。第一の理由は伝統的な「タテ社会」の文化にあります。数百年にわたる武士の時代に定着した家の制度によるところが大きいといえます。家の制度は、社会生活における男性と女性の役割分

担を明確に分けています。明治政府によって家制度は明文
化され、社会の基本単位として固定化されました。家の制
度が無くなったのは戦後です。約80年経過したとはいえ、
人でいえば3代が入れ替わったくらいですから、孫の世代
は古い制度の影響を受けているといえます。

　二番目の理由は徳川幕府が定めた士農工商の身分制度に
あります。制度上の人口比率は農民が85％、工と商のいわ
ゆる町人が5％、その他3％で侍は7％を占めていました。人
口の1割にも満たない男性武士層が日本を治めていたので
す。しかし、「タテ社会」の背骨と言われる「武士道」の精
神はあまねく影響していましたから、それぞれの身分内に
おいて固定された男女の役割分担が伝統文化となりました。

　三番目は江戸時代の鎖国です。明治政府は"一流国"の仲
間入りを目指して、西洋の新しい機械を導入しました。「モ
ノつくり」の近代化を図り、法律を整備して社会の運営シ
ステムの近代的制度を作りました。「モノつくり」産業は新
しい機械を輸入して指導者を招へいしました。国の運営面
では、欧米諸国の統治手法の調査に出かけました。明治政
府は「モノつくり」のハードと「コトの営み」のソフトの
両方のインフラ整備を進めようとしたのです。結果として、
日本のハードのインフラ整備は進み、多くのモノが国産化
されました。政府が進めたソフトのインフラ整備では、憲
法の制定や議会の開設などの法整備がなされて、先進国と
同様の組織を作って行われました。しかし、実際の運営は
幕藩時代に完成された男性中心の"力"に頼る手法が適用さ

れました。

「タテ社会」では、組織を代表する立場にある人は、弱いもの（開発途上国や女性、マイナー）にめっぽう強く、強いもの（先進国、メジャー）にはめっぽう弱くこびへつらう態度が習慣となっています。組織内の人には責任ある立場の人を忖度せざるを得ない空気が社会に流れていることは明らかです。未だに無くならないパワハラやセクハラは、私たちの社会が幕藩時代から続く陋習にとらわれているように見えます。伝統ある「タテ社会」に刷り込まれた「武士道」のDNAと戦後の民主主義を、私たちは誤解しているのではないでしょうか。

　私たちの社会で"みんな違いがあって平等"という概念への理解が進まない限りは、空気を変えることは困難です。長年守り続けてきた伝統には意味がありますが、長らく続けてきた伝統だからといって"すべて良し"とするものではありません。享受してきた既得権を手放すことには痛みを伴うこともありますが、時代の流れと共に一部の伝統は、社会に影響を与え運営を片寄ったものにして"後れ"を生じさせています。よどんだ空気を変えて新しい雰囲気を作らなければ、現在の"後れ"は取り戻せません。この流れを変えるのは、下からではなく上からしか考えられません。

3.3.3　品質の保証

　有形と無形とにかかわらず、日本のモノが今の日本の位置を作ってきたことは間違いありません。日本のモノは高

品質だが、コトの品質が高いとは言えないところに問題の本質があります。現在の停滞した社会から抜け出すためには、社会環境の基礎を見直し「コトの営み」の技術を確立して、運営の品質を保証することが喫緊の課題です。一方で、組織の不正行為、記録のねつ造と廃棄、閉鎖社会内の談合などの不祥事は枚挙にいとまがありません。組織の運営品質を保証するためには「組織運営の技術」を確立する必要があります。

　現在の"後れ"を招いた原因の一つに、国の行政や会社の経営に目を疑うような事象が次々と起きていることがあります。特に、国権の最高機関である国会において、品格を疑うような議論が交わされ、立法機関としての品質が保証されていない状況は、とても先進国とは言い難い状況であり"後れ"を招いている主原因と言えます。また、内閣や地方公共団体の政策執行と会社経営の信頼性においても疑問符がつき、第三者による検証を困難にしています。責任ある立場の人たちの組織運営の品質が保証されていないからです。

　ソフトインフラの代表は私たちの社会を運営する手法です。三権分立といわれる行政、立法、司法の運営を始めすべての組織を運営する方法です。大きくは政治の世界から会社の経営、毎日の仕事の進め方などすべての「コトの営み」です。つまり、私たちが何の疑いもなく伝統という名のもとに続けてきた組織の運営が「コトの営み」です。「コトの営み」の品質が保証されているとは言い難い状況が"後

れ"を招いているのです。組織の運営という「コトの営み」は"参加者はすべて対等"とすることが基本です。しかし、日本では所属している組織を優先したり年齢や性別、国籍によって区別したりすることが歴然としています。にもかかわらず、多くの人が社会は属性による順序ができているハズだ、という空気にとらわれているのではないでしょうか。

　組織運営の品質が保証されていない例として、宇宙開発のH3ロケットプロジェクトがあります。3月にH3ロケットの打ち上げに失敗しました。ロケットの開発自体がすでに2年後れです。今回の失敗でさらに後れることは間違いありません。設計でも製作段階でも、作業ごとの完了時に複数で完了を確認してから次作業へ移るという手順は規則化されているハズです。作業の確認記録はすべてあるハズで、ダブルチェックもされているハズですが失敗しました。失敗原因がどこにあるかすぐにはわからないと思います。今言えることは設計を含むロケットの製作技術（ハード）は十分にあるだろうと思っていましたが、揺らいできているということです。発射前に不具合を検知できなかったということは、プロジェクトを運営する技術（ソフト）が十分ではなかったといえます。

　最近よく聞く話に"基準を示してください"ということがあります。たとえば、コロナ禍で政府の「まん延防止等重点措置」や「緊急事態宣言」などの発出と停止の基準が抽象的説明に過ぎることです。明確な規則があり公表されて

いるのかもしれませんが、都道府県知事の要請に任されているように感じることがありました。知事の要請決定条件においても、各都道府県が独自の基準（目安）を定めている状況でした。要請するかしないかの判断を、知事が目安を参考にして総合的判断（Political Decision）をしているようにみえたのです。コロナ重症者の基準では東京都が独自の基準でカウントしていたときがあり日本全体の統計と整合性がないので、一般の人にはわかりにくいところがありました。

　物事の基準を具体的に示さないで責任者の判断（裁量）に任してしまうことや、物事が適用される側の判断（裁量）に任されるという状況は、昔からの日本における組織運営の文化です。多くの分野で要求を具体的な計量可能な基準で示すことはありませんでした。物事のあるべき姿を表すときに、具体的な数量表現ではなく抽象的な文言を用いてきました。したがって、まん延の波が8回に及んだコロナ禍の対策で、物事が一般の人にとってわかりやすく客観的（自動的）に決まることはあまりなかったような気がします。同じような背景を持った人が当該事項にかかわっていることを前提としていますので、指針だけ示しておきさえすれば、関係者全員が同じような判断をするだろうということを暗黙の了解とする理解で成り立つ手法といえます。同じ文化で同じ言葉であれば、思い浮かべてきたことと同じような結果がかつては期待できたからです。

　物事の基準や作業仕様書の作成は「組織運営の技術」の

基本ですから「コトの営み」には「組織運営の技術」に基づいて行うことが必要なのです。「コトの営み」は長い歴史を背景に発達してきましたから、簡単にそのやり方を変えることはできません。しかし、「コトの営み」は一つの技術ですから、技術を正しく習得することによって、組織を運営するときの手戻りや手直しを避けることができます。「コトの営み」の技術を見直せば、組織の効果的な運営が可能となって労働生産性をあげることができます。

　第三者によって組織の運営内容について確認ができるとき運営品質は保証されますから、組織運営の品質を保証して"後れ"を取り戻すためには次の4点が重要です。

1　計画：仕事にはすべて始まりがあり、終わりがありますから、一つの仕事はプロジェクトです。プロジェクトの計画には次の6項目が大切です。

　　1　目標や目的を明確にして設定理由を説明

　　2　どのような経路を通り目的を達成するかを図で表現

　　3　どのような手段を用いて目標をクリアーするかを解説

　　4　いつ目標や目的を完了するのか期間を設定

　　5　プロジェクトチームメンバーの選定

　　6　プロジェクト費用の算定

2　記録：試験結果や記録のねつ造、作業日報の虚偽記入、業務日誌の改ざん、会議の議事録なし、作成日や作成者名のない書類、プロジェクト記録の廃棄等

を厳に慎まなければならないことは当然です。複数の人が記録の内容を確認する（捺印するよりサインする）ことによって間違いを避けることができます。

3　報告：計画と実績の比較を定期的に報告することは最も重要です。

4　検証：定期的に会議を招集し、報告書に基づいてプロジェクトの進捗状況を関係者で確認して、目標・目的達成の道筋を検証します。

　現代に伝わる伝統的な組織の運営手法は江戸時代に完成しました。藩の殿様（大名）がオーナー経営者（社長）であり藩運営会議（取締役会）の議長です。藩業務の執行責任者（CEO）は家老です。藩の業務執行組織にはそれぞれ担当役があたりました。藩の最高意思決定機関である藩運営会議（御前会議）は議事の承認にあたって、組織の責任者（殿様）と議長代行（家老）と出席者（担当役）の誰もが責任をとらないですむことを前提とした責任回避の儀式と位置づけできるシステムでした。儀式ですから根回し段階の担当役同士の話し合いでコメントしない限り、会議中での異議は唱えられません。御前会議で議長代行から意見を問われても、各担当役はただ黙って頭を下げるしかありません。全員が頭を下げることは満足と解釈して会議は進行します。

　明治維新以降にできた新しい組織も、それまで行われてきた封建時代の組織の運営手法をまねるほかありませんでした。明治政府は欧米を視察して社会運営の基本を整えて

いきますが、組織の運営手法そのものを改めようとはしませんでした。明治政府の組織運営が旧来の伝統に基づいて行われたことは、私たちには受け入れやすかったからでした。しかし、封建時代型の組織運営には環境適応能力がないので"後れ"を招いた原因の一つです。もし、日本が欧米の植民地となって社会の運営が彼らの手法で行われていたとしたら、全く違ったものになっていたことは想像に難くありません。

　高度経済成長期まで有効だった封建時代型の組織運営は、時代が下ると有効ではなくなってきました。なぜならば、頻発する不祥事の発生は「タテ社会」に根付いている責任者に限らずだれも責任を取らないという伝統的な組織運営と、下位の者は上役を忖度するという習慣が影響しているからです。誰も責任を取らなくても許される組織の規則は、抽象的な文言で書かれている場合が多いようです。解釈は組織の長の理解（裁量）によることが普通に行われるからです。組織の長は業務執行において不都合が発生した場合、規則を都合のいいように解釈します。たとえば、組織運営において慣行に従って決定したとか、今までは慣行に従ってきましたが、これからはルールを厳格に適用するといった釈明が許されるからです。

　組織の運営が責任者の裁量によって行われるということは、責任者が変わると運営方針が変わることになります。組織の運営は責任者に都合のいいように行われ、第三者にとって都合のいい解釈でも組織にとって都合が悪ければ裁

量範囲内において違う解釈をします。担当者の業務においても規則が明確ではなく裁量が許される場合は、規則の解釈は担当者の意向によりますから、結果は規則を適用する側と適用される側の上下の力関係によることとなります。こうした状況はイケイケどんどんの高度成長期にはみんなが一方向を向いて走っていますので、大きな問題とはなりませんでした。しかし、現在ではいろいろな道が見えていますから、担当者は一人の裁量で道を決められません。責任者の遅い裁量の繰り返しが今の"後れ"を招いたともいえます。

　日本を元気ある社会に戻すためには、社会運営の品質の改善が不可欠です。組織の運営品質は、組織の構成員は全員対等の立場で参加していることが基本となります。次に、組織内の役職の責任範囲を明確にして、上役に対する忖度のない運営をすることが求められています。その上で、運営の諸記録が第三者の検証できる形で記録されている必要があります。運営の記録とは業務遂行時の一つひとつの作業の完了記録や議事録があることです。記録は会議の議事録はもちろんのこと指示書や確認書などがすべて保存されていて、第三者が組織の運営実態を検証できる状態にあることです。その時、組織の運営品質が保証されているということができます。組織はその運営品質を保証しなければならないという基本的な考え方が正しく理解されていないことが"後れ"の原因の一つと考えられます。品質保証は品質管理とは全く違うものだということを私たちは理解する

必要があります。

3.3.4　情報と対話

　"後れ"を招いた原因の一つに、対等の交渉をしてこな
かったことが明らかになっています。国内の「タテ社会」
では組織内と外とにかかわらず、上下関係による運営が行
われてきました。上は"力"による政策で下は忖度でまわる
社会の運営です。ヨコの関係も重視される国際社会では、対
等の立場を理解したうえでの交渉が求められています。「タ
テ社会」の運営を続けて、上下関係を意識した交渉をする
限りカウンターパートとは外交辞令的な付合いの域を出る
ことはできません。日本型の組織運営で育った人が、どれ
ほど情報収集に励んできたのか、本当に対等の交渉してき
たのかを疑わせる例は枚挙にいとまがありません。「モノつ
くり」の技術はありますからモノは作れますが、「コトの営
み」の技術が追いついていないので、情報が十分でなかっ
たり、運営がうまくいかなかったりして失敗した例を以下
に挙げてみます。

　たとえば、関西国際空港は騒音問題を解決するために大
阪湾の沖合5kmの海上に造られました。空港建設計画担当
者が、当時アメリカやイギリスで開発していた次世代
ジェットエンジンの情報を十分に得ていたとすれば、海岸
から5km沖合に作られた関西国際空港はもっと海岸近くに
造られていたかもしれません。同時期にアジア諸国で作ら
れた新空港は、内陸か関西国際空港よりもっと海岸寄りに

作られています。具体的に言いますと、1995年に運用が開始された大きなジェットエンジン2発のボーイング777は、ジェットエンジン4発のボーイング707やダグラスDC-8のエンジンに特有のキーンというジェット音はありません。777はジャンボ（747）よりも静かです。最近777はもっと静かな787やA350などに取って代わられつつあります。

　1980年代にはアナログのハイビジョンの開発がありました。ハイビジョンは1994年にNHKで実験放送が開始されましたが、一般にあまり普及せずに終了しました。世界ではデジタルの流れができていたことがあったからです。最近の風力発電や電気自動車の分野が世界の流れから後れているのは、みなさんご存じのとおりです。日本ではもう豪華客船を作る力はないということを聞いたことがあります。船を作るという「ハードの技術」はありますが、顧客の多様な要求に応える技術、言い換えますと、豪華客船建造プロジェクトを運営する技術（ソフト）が不足しているからだと思います。いずれも最新情報を入手する対話力の不足と思われます。

　また、国産ジェット旅客機（MRJ）の開発では撤退せざるを得なかった理由の一つにコロナ禍で海外と往来する仕事が出来なくなったために、従業員を極端に減らさざるを得なかったことがあります。MRJの当初開発計画は2008年に取り組みを始めて、2011年に初飛行し納入開始は2013年の予定で開発費は1,500億円でした。しかし、開発は計画よりも後れましたし、日本（国土交通省）には安全確認審

査のノウハウがありませんでした。アメリカの連邦航空局（FAA）の形式証明（TC）を取得して、そのTCを日本で承認するということにして1号機を送りだしたのは2016年です。1号機はFAAを納得させるだけの十分な安全性の証明ができませんでした。

　そこで、2018年に外国から専門家を雇い最高開発責任者にして、根本からやり直し始めました。名前もMRJからスペースジェットに変えました。ところが、不運にもコロナウイルスの流行で試験飛行が中止に追い込まれて、2023年に開発の中止が発表されました。「モノつくり」の技術（ハード）がありましたから、試作機は作れましたし、確かに飛びました。当初「タテ社会」の人と組織だけで作ったプロジェクトチームに「モノつくり」の技術は十分にあったかもしれませんが、「ソフトの技術」である形式証明の取得に関する知見や安全確認審査を受けるノウハウやプロジェクトチーム運営の技術がおろそかにされていた例です。

　ヨーロッパのように他国と陸続きの国では、所属する民族のアイデンティティー（ID）を明確にするために子どものときからパスポートを持つことは普通です。イギリスのようにIDカード（身分証明書）のない国では身元の確認はパスポート番号が使われます。たとえば、就職するときや銀行口座を開くときの申請書に、国により違いますが、パスポート番号かID番号が求められます。しかし、日本は島国でパスポートを持つ人は海外に用事のある人に限られています。パスポートの発行数は約3,000万枚弱ですから、身

分の証明として使えるのは人口の4分の1くらいです。身分の証明用として運転免許証が使われることがよくあります。運転免許証は約8000万枚発行されており、成人のほとんどの方が持っています。写真入りで身分証明用としては有効な証明になります。

　マイナンバーカードの普及キャンペーンで、急に健康保険証との連携が叫ばれるようになりました。その結果、今では運転免許証の発行数よりも多くの人がマイナンバーカードを所持しているそうです。今後はマイナンバーカードが身分証明として使われるようになりそうですが、就職や銀行口座で日本型のIDになるでしょうか。コロナ禍によって明らかになったIT化の後れを取り戻そうとして、官民を挙げてICT（情報通信技術）だのDX（デジタルトランスフォーメーション）だのとかまびすしいこのごろです。確かに役所の各種申請書類からハンコはなくなりましたが、役所の各種申請書や警察署での運転免許証の申請書などは未だに紙の用紙です。改善の余地はまだまだありそうです。

　私たちは世界の流れをキャッチするネットワークに弱いところがあるようです。海外に駐在する人ばかりではなく、日本から出向く人たちの基本的なコミュニケーション能力が十分ではないとか、交渉は対等にするという基本が理解できていない人が少なくないことが大きな理由ではないでしょうか。今後も先進国の仲間でいる限りは世界の流れに敏感でなければいけません。現状では情報収集が十分でないことは明らかなので、もっと情報収集に努めるために先

進諸国と対等に話ができる教養のある人を送り込む必要があります。情報不足は今の"後れ"を招いている原因の一つです。高度経済成長期に多くの人が海外へ行きはしましたが、教養をもって誰とでも、どこでも話ができた人は少なかったように感じました。世界で話ができる人を育てる教育が十分ではなかったような気がします。

　世界の流れを正しく理解するためには、国や組織を越えた人と人との対話が欠かせません。違う国や組織はそれぞれが違った立場にありますから、会話は簡単ではありません。違う立場の人や組織との会話で必要な要素は、対等の立場に立っていることを意識して話をすることです。単純に大国の動きに従うとか、大国の傘の下で弱小に対してのみ強く出るとかでは対話は成り立ちません。大国の眼鏡を通した情報だけでは世の流れはつかみきれません。必要な情報を得ようとするならば自らの交渉が不可欠です。外国人との交渉が必要になってくると、モノとの対話よりも人との対話が重要になってきます。また「タテ社会」では組織名で行動できますが「ヨコ社会」では個人の資格や属性が優先されることがあります。日本型の組織の運営手法は通じません。私たちが国際社会で生き延びていくためには、いつでも、どこでも、誰とも対等に交渉することが最も重要な要素なのです。

　日本の躍進を支えてきたのは「モノつくり」の技術です。海外向けて日本が誇ってきた「モノつくり」は主に大量生産できるモノを生産する技術と言えます。「モノつくり」に

従事する技術者は世界中の消費者が満足するモノを作るために、日々製品と対話してきました。消費者が乗って気持ちのいいモノ、触って喜ぶモノ、食べておいしいモノを追究してきた結果として、日本製品は世界中の消費者の心をつかみました。世界中の人が、日本製品を求めました。「モノつくり」は技術者がモノとの対話を通して、改良し発展させることができてきました。「モノつくり」の世界では、人との対話は最重要課題ではなかったようです。

「モノつくり」で世界をリードしていたころは「タテ社会」の文化に「人つくり」を任せて、対話技術の習得に必要な教育を十分に行ってこなかったことは反省材料です。組織の運営責任者はモノで勝つ時代ではないことを理解して「人つくり」を優先する必要があります。「人つくり」は教養を身に付けることから始まります。教養は学校で教わることではありませんが、教養を身に付ける基本技術を習得する授業を怠ってきたのです。「モノつくり」の技術を支えてきた基礎研究の分野の人材が薄くなってきたことも"後れ"を招いた原因の一つとして考えられます。教育、研究、人に投資をしなければ後れるばかりです。

3.3.5 社会と教育

戦争による廃虚の中から高度成長を達成できたのは、まじめで"責任感"の強い人を大量に育てる教育にありました。"みんなで一緒に"を掲げて全国均一の教育を標準語で行ってきましたから、都会にある多様な職場の要請に応える教

育ができました。復興にともなって都会に大きな工場や小さなお店がたくさんできました。都会に職場が増えてくると、さらに多くの人が職を求めて都会へ出ていきました。都会の職場は社会へ出てくる大量の人を吸収し続けるところとなったのです。しかし、昭和から続く"みんなで一緒に"の教育は賞味期限が切れてきたようです。職場が求める人材が多様化してきたからです。令和の時代は一人ひとりに合った教育が必要になってきました。今の教育は過渡期にあるといえます。食べ物と同様に人材の場合は"賞味期限"が来たからといってすぐに使えなくなるというわけではありません。"みんなで一緒に"の教育は"賞味期限"が来ていますが、今後の教育次第で"後れ"を取り戻す働きをする人材を育てることができます。

　余談ですが、食べ物の"賞味期限"という言葉には、"期限日までに食べなければならない、期限日を過ぎると食べられない"というニュアンスがあります。実際は"賞味期限"が来たからといって、次の日からすぐに食べられなくなるというわけではありません。"賞味期限"が過ぎてからの消費は、消費者の責任で判断することが重要になってきます。"賞味期限"という言葉の表示が義務付けられているのは、その前と後では生産者の法的な責任に違いがあるからでしょうか。ちなみに"賞味期限"と同様な意味合いに、英語圏では"Best Before"という言葉が使われています。"Best Before"という言葉は記された期日前に消費するのをお勧めしますという意味で"賞味期限"という言葉よりも合理的

な表現と思います。

　子どもたちを育てるのは社会です。その時々の社会状況が子どもたちの発育に影響を与えることは明らかです。一人ひとりに合った教育を進めるためには、子どもたちは一人ひとりに違いがあるという当たり前のことを認識する社会にならなければなりません。たとえば、イギリスのボーディングスクールは、子どもたちに寄宿舎生活をさせながら初等、中等教育を行います。少なくない親たちが植民地経営に携わっている間、子どもたちに本国の教育をうけさせていたのです。ボーディングスクールは、植民地支配の産物という面で問題がないわけではありません。しかし、社会が子どもたちを育てるシステムとして、現在もイギリス社会で有効な役割を果たしています。

　人は国の財産ですから、社会が人を育てることは当たり前のことです。社会が人を育てるという観点からすると、義務教育はもちろんのこと、税金で高等教育にかかる費用を負担して教育の無償化を図ることは当然至極の策といえます。世帯の低収入や家庭の貧困などの理由で、憲法第26条がうたう能力に応じた教育を受ける権利が阻害されるとしたら、公平とは言えないのではないでしょうか。昭和の時代は家制度の考え方が残っていましたから、家庭内での父母の役割分担は当たり前で、子どもは家庭が育てるということが普通でした。また、世帯で一人働けば家族が生活できたからです。教育関係の制度設計は、外で働く人が一人と子どもを家庭で育てる人がいることを想定して作られて

いたのです。しかし、令和の時代は夫婦二人ともに働くことが当たり前になっています。昭和時代に作られた制度は"賞味期限"が来ているのです。制度の前提条件を見直して改定する勇気が必要です。繰り返しますが、子どもは国の財産ですから社会が育てるのです。

さらに重要な教育は、社会へ出る前に「組織運営の技術」を学校で教えておくことです。新人が社会の組織に初めて参加したとき、仕事の標準的な基本を学校で学んでおけば、すぐ戦力になれます。新人が組織の文化を身に付けるまでに時間がかかることも防げます。組織が新人を育てる時間も最小限になります。組織を運営する技術は、基本的な事務文書の作り方や事務文書の取り扱い方、仕事の進め方や手順、仕事のとりかかりから完了報告をしてファイルの閉じ方などを標準化した教科書を作成し学校で学びます。

組織運営の標準化に必要な具体的な項目は4つあります。

1　計画の立て方

2　記録の取り方とその扱い方

3　報告書の作り方

4　会議の進め方

標準的な組織を運営する技術の教科書があれば、すべての人が社会へ出る前に学校で学ぶことができます。今は新人が社会へ出て組織に属するようになると、所属する組織によって業務の中身や進め方には違いがあります。しかし、学校で基本的な仕事をこなす技術を身に付けておけば、新規に誰が組織に参加しようとも組織ごとの特性に合わせる

ことは困難ではありません。誰もが基本的な知識を持って
社会へ参加しますから、即戦力として活動できるようにな
ります。私たちが「組織運営の技術」を共有すれば、労働
生産性の改善も可能になります。

　私たちは幼稚園以来"みんなで一緒に"を繰り返し教えら
れてきました。コロナ禍の今も同調圧力の空気は強く、ワ
クチン接種やマスクを義務化しなくても、みんながマスク
をし、多くの方は接種券が届くとすぐに接種を受けに行き
ました。日本の伝統は他の先進諸国と違う社会を作ってき
ました。先進国が合理的で論理的な精神に基づいて、何事
も明確な基準を持とうとするのは、"隣の人は同じような背
景を持つ人ではないかもしれないが、ルールは知っておい
てもらいたい"という気持ちの表れです。一方で非合理的
であろうとも直感的な対応を重視する思考と、それを実践
している日本では抽象的な文章表現の指針でも、作者の期
待どおりの理解をしてもらえるのでなじみやすかったのか
もしれません。しかし、最近は異なった背景を持つ人たち
が増えて、みんなが目安に沿って同様の解釈と判断と行動
をするだろうということが期待できなくなっています。抽
象的な言葉による説明では、文言の解釈が人によってあま
りにも違いすぎて、結果にばらつきが出てくるのです。

　客観的な基準よりも抽象的な文章の規則に基づいた総合
的判断（Political Decision）が優先されてきたことは"後
れ"の原因の一つでもあります。作業ごとに具体的な要求
基準を示すことが必要になっているのです。物事に着手す

るとき具体的な要求基準を示すことは、作業の間違い、手
戻り、手直しを減らすばかりではなく、作業にかかわる人
員と時間を減らすことが可能になります。なおかつ、背景
の違う人が作業に携わっても初めから同じような結果が期
待できるようになります。限られた時間と人員で今まで通
りの結果を期待するならば、要求基準は具体的に明確にす
ることが今後の組織運営の基本となります。

　教育見直しの一分野として、子どもの数が減ってきて学
校の統合が進んでいる今こそ、一クラスの人数を見直す
チャンスではないでしょうか。保育園で一人の保育士が見
る2歳児の数は概ね6人、3歳児は約20人が目安ですが、4、
5歳児は30人に保育士一人が標準です。本当に保育士一人
で十分に子どもたちの面倒を見られる数でしょうか。小学
校の一クラスは40人から35人に変わりつつありますが、中
学校の一クラスは40人です。一人で40人を相手にきめ細
かい教育ができるでしょうか。担任がクラス全員の個性を
把握して、一人ひとりに合った教育が実践できる人数で
しょうか。最近の子ども政策の策定で保育士の担当する子
どもの数の見直しがされるようですが、先進国並みになる
のでしょうか。

　保育と教育の制度の見直しは喫緊の課題ですが、最も重
要な対策は会話（交渉）ができる人材を育てることです。こ
れまでの上下関係に基づく"力"に頼る交渉から、対等に交
渉することが前提の社会に対応する人を育てなければなり
ません。世界の国々で対等に交渉できる人をもっと育てる

ことが必要です。手後れになる前に対等の交渉ができる人を育てなければ今の後れから、さらに後れて先進国から脱落してしまいます。先進諸国とも後続諸国とも外交辞令を越えて、対等に付き合う交渉の技術を身につける必要があります。最近よく聞きます社会人のリスキリングも大切ですが、初等と中等教育の見直しは喫緊の課題です。一般に学校で勉強の後れを取り戻すためには、少なくとも3倍の努力と時間がかかるといわれています。ここでは社会全体の"後れ"が課題ですから、今すぐ教育の見直しを始めなければいけません。社会が子どもを育てるのですから。

3.3.6　少子高齢化

　2022年の赤ちゃんの出生数は80万人以下で"少子化は想定より10年早く進んだ"という報道がありました。赤ちゃんが200万人以上の時代から、出生率が1.5を割って出生数が年間100万人より少ない状況は、人口減につながり国力に影響します。政府からは"異次元の少子化対策"が表明されています。子ども手当に世帯所得制限をつけないとか、出産手当金を増額するとか、子ども関連予算を倍増するとかなど議論が出ています。少子化対策の本質は、家庭ではなく社会が子育ての責任もつことが基本です。社会で子どもを育てるために必要な法律、制度や設備は何かを検討することが重要です。日本が先進国として、社会で子どもを育てるための政策を進めることは当然ことです。

　"異次元の少子化対策"には初めて子どもを持つ家庭で誰

が、どのように子どもの世話をするのかの検討が欠けているのではないでしょうか。女性であろうが男性であろうが、赤ちゃんが生まれてから数か月以内に職場へ戻ることを当然の選択肢として、何が必要かを検討すれば自ずと答えが出てくるように思います。少しずつ変えようとする話が出てきて、当初の"異次元の少子化対策"というほどの政策ではないようです。日々の生活に精一杯で将来が不安にならざるを得ない世代が、安心して赤ちゃんを育てられるようにするには、十分な衣食住が必要です。子育てにかかる費用を家庭が負担することは避けられないので、お金の話は重要です。しかし、子どもを親の宝とみるか国の宝とみるかで、税金の使い方は変わってくるのではないでしょうか。

　日本に元気がなくなってきた原因の一つに地方の衰退があります。現状は、地方ばかりが衰退しているのではなく、大都会周辺に位置する衛星都市といわれた都市部でも住民の高齢化による衰退が進んでいます。たとえば、町内会や民生委員・児童委員、社会福祉協議会（社協）などの行政の末端を支える制度です。町内会は主な業務として市役所と住民をつなぐ連絡機関としての役割があります。市役所からくる広報などの資料を各家庭へ配布し、町内会からは住民の様々な要望を伝達しています。定期的に開催する役員会では町内の諸問題を討議しています。また、お祭りや年末に火の用心の声かけ見回り、お正月の餅つき大会などを主催しています。

　昭和時代には町ごとに運動会を開催したり、球技のチー

ムを作って地域のスポーツ大会に参加したりしています。最近では住民の高齢化に伴って催しものの開催は減り、あるいは開催できなくなっています。たとえ何かの催しを開催したとしても人が集まりません。役員は高齢化し交代しようにもなり手がいないので欠員が出るという状況です。町内会と共に地域を支えているのは民生委員や児童委員と社協です。しかし、今では住民が高齢化してなり手がなく欠員が出る状況は町内会役員と同じです。

　昭和の時代は決して豊かではなかったので、町内の住民がみんなで何かするということが楽しみでもありました。今では社会が豊かになったし、楽しみの種類も豊富になって、私たちの趣味の範囲が広がりました。"みんなで一緒に"ではなくても、一人で楽しい時間を過ごすことができるようになったのです。ニュータウンが次々とできたころ、新しい街へ越してきた若かった住民たちも、今では歳を取りました。年老いた彼らに表面上の貧しさはないようにみえますが、公園のベンチに一人で座っているお年寄りを見かけることがあります。昭和の時代にできたことが、今はできない理由の一つに若い人が参加しにくい状況があります。昭和の時代は世帯主が一人働けば生活できましたが、今は世帯で二人以上働かないと生活が維持できない状況にあります。社会奉仕をする意志があっても、地域に貢献しようと思っても時間的に余裕のない人が多くなったのです。

　子どもが増えませんから日本の人口は減少します。団塊世代の寿命は延びていますから、社会の高齢化は進みます。

このまま、日本が衰退への道を歩み続ける姿を座視していいわけがありません。躊躇している暇はないのです。制度疲労が起きている現実を謙虚に見つめて、今行動を起こさなければ、極東の一小国になるのは最早時間の問題です。

　"賞味期限"が来ているのは教育だけではありません。普通の国といっても先進国であり続けることは不可能ではありません。明治政府が目指した"一流国"とは違うかもしれませんが、小さくても世界が無視できない成熟した国になることは可能です。伝統ある「タテ社会」の前提条件を見直せばいいのです。「平等」、「公平」、「公正」な社会を目指すと既得権を失う有力者が出るかもしれません。彼らは痛みを感じるかもしれません。しかし"後れ"を取り戻して先進国に留まろうとするならば、戦略目標を「平等」、「公平」、「公正」な社会に定めて達成への一歩を今、踏み出すことです。決して遅すぎることはありません。

3.3.7　就職と就社

　日本では毎年4月に新卒の一斉採用が行われてきました。新卒の方は学校で専門を学んできましたが実務経験はありません。入社して社会人としての第一歩を踏み出します。会社にとっては何色にも染まっていない新卒の方は、時間をかけて会社が必要とする人材を育てるのには都合のいい制度でした。入社した人はみんなが同じスタートラインに立って、みんなが同等に扱ってもらえたのです。給料をもらいながら実務経験を身につけられる新卒一斉採用の就社

システムは、社会の底上げをするためにはよくできた制度
でした。日本の社会は長らく、そして今も新規卒業生の一
括採用をしています。

　新卒者が特定の職を希望して採用してもらう場合はまさ
に就職ですが、一般的には新卒者が一括採用で会社に雇用
してもらうことになり、彼らにとっては就社といえるもの
です。最終学年で翌年3月に卒業予定の若者の多くは、ど
のような仕事に従事するかという確たる目標を持たずに、
志望する組織に参加しているのです。新規参加者は組織の
年長者から組織の文化や業務執行手順について時間をかけ
て教えてもらいました。新規参加者は未知の配属先で必要
となる知識を一から学ぶのです。

　昭和の新卒者は子どもの時から"みんなで一緒に"で習っ
てきました。彼らは親が「タテ社会」で生きてきたことを
見て育ちましたから、どの職場に配置されようとも大きな
問題とはなりませんでした。しかし、一人ひとり違うこと
が当たり前の令和の時代は"みんなで一緒に"を中心とした
教育が、かつてほど徹底されているわけではありませんか
ら、自分の意に反するような職場で我慢することには慣れ
ていません。最近は9月の学校卒業生に対して秋の入社制
度を取り入れている組織も少なくありません。また、多く
の会社で随時に経験者(中途)採用をすることは普通になっ
ていますから、転職コンサルタントの広告を見かける機会
が増えました。中央省庁でも民間からの採用が行われるよ
うになりました。

どのような経験者を募集しているかをみると「モノつくり」の経験者が多いのです。前にも書きましたように「モノつくり」とは工場で製造する工業製品や職人の手による手工業品、技術者が作成する設計や図面などの成果物、文学、音楽、美術、映画、舞台などの芸術作品を制作したり創作したりすることです。有形無形の「モノつくり」に対して「モノつくり」する組織の運営に必要な人材の募集は少ないようです。なぜなら、日本の組織はそれぞれ独自の組織文化を持っており、組織の運営は長く同じ組織に所属して独自の運営手法を身につけた人が担当することが多いからです。

　広告の多くはポストごとの職務内容を明確にして、ポストに適したスキルや経験を持った人材を募集し雇用する"ジョブ型雇用"になっています。"ジョブ型雇用"とはあらかじめ定義した職務内容に基づく雇用といわれています。ポストごとに"Job Description"の作成をし、ポストが求める作業内容を明確にすることで、作業に対する責任が明確になります。ポストの権威を明確にして、ポストの権利と義務を明確にすることは、言い換えるとポストの責任をはっきりさせることです。各ポストの権威と責任を明確にすることは、作業手順の簡素化と標準化につながります。

　昨今の流動的になった労働市場を受けて、もっと"ジョブ型雇用を"と言われるようになってきています。入社してくる新人を育てる手法ではなく、募集する職務内容を明確にして経験や能力のある応募者の就職を促すことが増え

てきました。募集する職務内容を明確にすれば、応募する
人は自らの経験や経歴が生かせる職かどうかわかります。
雇用する側も履歴書（CV）から適切な応募者かどうかの判
断ができます。"あなたの仕事はこれとこれです"と職務内
容は列記できますから、職務内容を明確にすると言うのは
比較的簡単です。しかし、職務内容を明確にするためには
その職が求める義務（責任がついてきます）と権威を明確
にする必要がありますから、ポストに求められる義務を列
記することは簡単ではありません。ポストの権威と責任を
明確にすることは組織の運営に関わってくるからです。列
記された職務は義務ですから当然のことですが、一つひと
つの職務には責任がついているのです。

　日本の製造業は伝統的に優れた「モノつくり」の技術を
持っていますから、「モノつくり」を重視する政策が取られ
てきました。長らく歴史ある大企業に焦点を当ててきた結
果、時価総額でトップ10に入る会社は半数以上が創業50年
以上の古くからある会社ばかりです。一方、アメリカでは、
時価総額のトップ10はGAFAMを始め創業30年以内の会
社がほとんどを占めています。いずれも新しい分野を開拓
した会社や新しいビジネスモデルを立ち上げた会社です。
革新的なことに挑戦する人とそれを後押しする文化がある
のだと思います。この「ヨコ社会」の文化はビジネスの世
界に限りません。たとえば、エンジェルスの大谷選手の活
躍と地元の応援があります。

　日本でも一代で世界に通用する会社に育てた方は少なく

ありません。そうした比較的に新しい会社はポストの業務を明確にして、経験ある人材を募集することが多いようです。応募する人の経験と持てる技術が、会社の募集要求内容とマッチすれば就職となります。新しく社会へ出てくる人が、入社して経験を積み会社文化になじむことは必要ですが、会社の運営のためには十分ではありません。歴史ある大企業と肩を並べるほどに会社を発展させた人は、よくカリスマ経営者と言われていますが、後継者に苦労されているようです。「タテ社会」だからでしょうか。アメリカでは創業者が経営から退いても、後継者により組織は何も変わらずに運営されています。組織を運営する基本が共有されているから、誰が運営しようとも水準は保たれるのです。もちろん個人差がありますので、交代によって組織が伸びることもあれば失敗することもあります。違いは交代した時点で一から始めるか前任者と同じレベルで始めるかです。

④ どうする、ニッポン

「タテ社会」のよき伝統を生かしながら“後れ”を取り戻すためには、私たちのまわりにまとわりついている空気が作っている社会の雰囲気を変える必要があります。

4.1　タテ社会の運営

「コトの営み」に磨きをかけるには、「資格」の生かし方の検討が有効です。

4.1.1　「場」と「資格」の優先順位

　私たちは「武士道」を精神的な支えとする「タテ社会」に生きています。社会が停滞しているからと言って、私たちが誇る文化を壊したり変えたりすることはできません。「タテ社会」には守っていきたいところがたくさんありますが、先へ進むためには改善しなければならないこともたくさんあるということです。社会の空気を変えて“後れ”を取り戻して、社会を進化させるには「ヨコ社会」の組織の運営手法が参考になります。「ヨコ社会」は「場」よりも「資格」を優先する社会です。私たちの「タテ社会」は、個人の「資格」よりもそれぞれが所属する「場」を優先する社会です。しかし、どの社会も「場」と「資格」のどちらか

127

を絶対的に優先させてきたわけではありません。現実の社会は時と場合に応じて、その優先順位を使い分けてきたのです。運営手法の改善には、現在の状況を検証して見直しへの理解を進めることから始めなければなりません。「タテ社会」を構成する組織の運営手法や業務手順などの現状の実態調査が不可欠です。組織運営の見直しは、既得権を放棄してもらうことを伴いますから、現状を検証して私たちの合意の下で進めなければなりません。

　長い時を重ねてつくられた日本の「タテ社会」文化は、私たち一人ひとりのDNAに深く刻み込まれています。社会の歩みは緩やかかもしれませんが、着実に進歩しているのです。同時に、私たちは社会の運営も進化させなければなりません。「タテ社会」の日本が持続的な前進を続けるためには、違いのある者同士が対等の立場で社会に参加ができて、誰もが能力にみあった活躍ができることが望まれます。対等の立場とは、人は違い（人種、国籍、性別、身体、年齢などの属性による区別）があって初めて平等であり、公平な立場にあるということです。

　これからの日本の社会は、私たち一人ひとりが対等の立場を認識し実践することが求められています。これまで以上に一人ひとりの属性（資格）が考慮される社会では誰でも、どこでも、いつでも参加ができて、個人の能力を最大限発揮できます。「資格」を表す属性が「場」よりも考慮される日本の新しい「タテ社会」を作るためには、社会運営の基本となっている条件の見直しが不可欠です。社会運営

に必要な基本的条件とは、社会を構成している一人ひとり
の人には違いがありますが、みんな同等に参加できるとい
う社会の理解です。すべての人が対等の立場で社会に参加
できるという基本的条件は、伝統的な社会の運営を続けて
きた日本の「タテ社会」には簡単にはなじまないかもしれ
ません。なぜなら、組織内の既得権益者には既得権を手放
していただかなくてはならなくなるからです。

　すべての人が平等であること、すべての人は公平に扱わ
れること、正直者が馬鹿を見ることのない公正な社会であ
ることは、憲法（全11章、103条）の第3章（第10条から
第40条）で保証されています。すべての人が平等であるこ
とは基本的に正しいですが、実際には個人の属性を考慮し
なければ、悪平等になることがあることに留意が必要です。
私たちが一人ひとりの違いを理解することは、すべての人
の公平につながります。私たちが平等と公平は当然と認識
することが、公正な社会をつくる基本的な条件です。

　憲法は多くの条文で、詳細は法律で定めると書いてあり
ます。どのような法律を作るかによって、私たちの社会は
変わってくるということです。法律を作るのは、唯一の立
法機関であり国権の最高機関である国会です。国会は法律
の制定にあたって、適用される側の利益を最大限考慮しな
ければいけません。国会議員は、社会のすべての組織とそ
の構成員は対等の立場にあるという認識の基に活動しなけ
ればなりません。内閣は行政権を執行する最高機関ですか
ら、政策実施方針は内閣の意思として閣議決定されます。総

理大臣と国務大臣は、政府の運営方針を決定する閣議に対し連帯責任があるのです。行政権を持つ内閣が、個々の法律をどのように解釈して閣議決定するかで実際の社会は変わってきます。行政権は内閣に属していますが、行政権の行使は国会に対して責任がありますから、閣議決定すれば何でもできるわけではありません。行政権の行使に対して内閣にフリーハンド（白紙委任）が与えられているわけではないのです。内閣の行政権は、憲法が定める下での全権です。内閣は憲法や法律の解釈で、一律的で硬直した対応をしてはいけません。内閣による行政のフェアな執行が、公正な社会を作るのです。

　今こそ建前ではなく"違いがあって平等"を実現するときです。"後れ"を取り戻すためには雰囲気を変えて、新しい空気の社会を目指して"はじめの一歩"を踏み出すことです。社会に新しい雰囲気が醸し出されてくれば、同調圧力が働いて空気は変わります。社会に流れる空気が変われば、社会の運営が変わります。社会の運営が変われば"後れ"を取り戻す道が見えてきます。私たちは「平等」と「公平」な社会を目指して歩き始めることです。正直者が馬鹿を見ない「公正」な社会へ向けて今、歩き始めなければいつ歩き始めるのですか。さぁ"隗より始めよ！"です。

4.1.2 「コトの営み」の技術

　社会の運営が伝統的な手法で行われ、その運営の品質が保証されていないことが、数々の不祥事を招いている原因

です。日本型の伝統的な社会運営には、最も重要である透明性の確保がありません。往々にして不祥事が起きた時の責任の所在が不明確になっていることは、日本が先進国から後れている原因の一つです。責任者は胸を張って"自分たちの運営は、伝統を守りながら改革し続けている"と言うかもしれません。しかし、第三者から見ると"運営手法が拙いから間違いが起きている"し"誰も責任を取らないことが後れを招いている"としか言いようがありません。

　組織が力を発揮するためには、運営の責任者と構成員が基礎を共有することが不可欠です。組織運営に必要なことは「コトの営み」の技術なので、関係者が「組織運営の技術」を身につけることによって、組織は十分に力が発揮できるようになります。「コトの営み」の評価は、第三者が文書記録を検証できるか否かにかかっていますから透明性が欠かせません。組織運営の透明性の確保が運営品質の保証となります。運営の品質を守る「コトの営み」の技術は、組織がどこにいて、どこへ向かおうとしているのかを確認しながら前進する方法です。具体的には、組織が進んでいる方向は当初の計画と比べて間違っていないだろうかという問いを発します。次に、組織は今どこにいるのか、現在位置の確認をして目標を再確認します。この作業を繰り返しながら前進する業務執行のワザです。当初計画を「モノサシ」として執行状況を検証し、現況確認を行い将来を見通すのです。

　「コトの営み」の技術は、次の4つの要素から成り立って

います。

1 計画

2 記録

3 報告書

4 会議

「コトの営み」の4つの要素に沿って計画を立て、記録を取り、報告書を作成し、会議を開催して組織の現状を確認し将来の見込みを想定します。

「コトの営み」の技術に沿った組織の運営は、

1 "力"に頼った運営ではなく、すべての人と組織が対等の関係に基づく運営。
　　対等の関係とは違いがあって初めて平等という意識をもった対応です。

2 方針決定は適用される側の違いを考慮したフェアな対応を基本とする運営。
　　規則の一律的で硬直した適用はアンフェアな対応になることがあります。

3 原則として運営状況は公開とし、業務執行の状況はすべて記録する運営。
　　責任者は総合的判断の決断理由と過程の説明責任を果たす覚悟が必要です。

4 新規参加者は誰でも参加できて、合格レベルの結果が出せる運営です。

以上のように「コトの営み」の技術に沿った業務執行は、組織の運営品質を保証しますから、第三者が組織を信頼で

きる裏付けとなります。組織運営の品質が保証されている状況が必要とされることは「タテ社会」でも「ヨコ社会」でも同じです。先進国の「組織運営の技術」は長い時間をかけて確立された技術ですから参考になります。

「タテ社会」の組織を運営する手法として「モノつくり」の技術と同様に、日本型の「コトの営み」の技術の確立が望まれます。「コトの営み」の基礎を具体化した「組織運営の技術」は業務の標準化が基本です。基本的な作業手順を標準化して、参考する教科書を学校教育に取り入れれば、「組織運営の技術」の共通化ができます。誰もが持てる力を発揮できる社会は、日本型の「組織運営の技術」を確立して学校教育に取り込むことから始まります。誰もが社会に必要な「組織運営の技術」の基本的な知識を身に着けてから卒業することが必要です。

「モノつくり」の技術と同じよう「コトの営み」の技術にもワザがあります。技術というとすぐにモノを作る製造業やウデのいい職人さんのことが思い浮びます。技術という言葉が意味する範囲は広く、職人さんのウデやワザと呼ばれる技能が含まれます。「コトの営み」のワザは「モノつくり」の技術（ハード）に対して「ソフトの技術」といえます。「ソフトの技術」は「ハードの技術」とは違って目には見えません。組織を運営する技術という形の見えないワザですから「コトの営み」の技術は乗ってみたり、手で触ってみたり、食べてみたりすることはできません。モノと違って見えないものを評価するという意味では、「コトの営み」

は指揮者や先生と同じです。オーケストラの指揮者がクラシック音楽を指揮するワザと同じで、評価は演奏を聴いた人がします。学校が教育する生徒は、先生の実績といえなくもありませんから、活躍する生徒を社会が見て学校や先生の教育を評価します。指揮者の指揮や先生の教育と同じように、組織の運営の良し悪しは社会が評価します。指揮者のウデも先生の教え方も、しっかりした基礎があってこそ初めて能力が発揮できます。組織もしっかりした基礎を持って運営することが重要です。

　"後れ"を取り戻すための手段について、各方面から多彩な意見があります。"こうした方がいい""ああした方がいい"と。もちろん得意な分野を伸ばすことは必要ですが、足元の基礎が正しく固まっていなければ砂上の楼閣です。土台を固めたうえで、すべての人が基本的な「組織運営の技術」を共有していつ、誰が、どこの、どの組織に参加しようとも、少なくとも組織が求める及第点以上の働きができることが必要です。

4.1.3　組織運営と問題解決

　私たちの仕事の目的は問題解決にあるといえます。社会の問題は複雑に絡み合っており簡単には解決できません。社会の問題には正解がないからです。しかし、複雑に絡み合った問題も「組織運営の技術」に沿って一つずつ解決することができます。複雑な社会の問題も基準となる計画という「モノサシ」をあてることにより、一つずつほぐれて

問題解決の方向が見えてきます。

　「組織運営の技術」は、仕事（プロジェクト）を計画（モノサシ）と比較しながら検証を繰り返すという単純ですが汎用性の高い方法ですから、組織内の業務執行に留まらず対外的な商業、経済、政治、外交に至るすべての社会運営に適用されています。現在の“後れ”を取り戻し先進国の仲間に留まるためには、計画（モノサシ）を明確にして“力”による組織の運営を見直していかなければなりません。人や組織と対等の付き合いや交渉をするにはどうすればいいかを考えることと、決定がフェアであるかどうかを決断の基準とすることです。組織運営の見直しは、現状を検証して改善点があれば修正することで達成できます。

　修正の具体的なポイントとしては、

　1　組織の文化に染まることを前提とした運営ではなく、誰でも新しく組織に参加したときに要求に見合うレベルの結果がすぐに出せる組織運営システムを構築することです。たとえば、多くの会社では新人が入社（就社）すると会社文化に染まるまで時間をかけて独自の業務遂行手順などの教育をしてきました。しかし、これからの会社では入社して職につく（就職）とすぐに能力が発揮できるようにすることが必要です。そのため組織の業務執行基準を標準化します。また、各ポストの業務内容や業務手順を明文化することが必要です。ポストの権限と義務、職務内容を明確にして、権限をポストに譲渡してポストの

責任を明確にします。ジョブ型雇用が組織運営の基本となります。

2 組織の業務執行はすべて記録（議事録や月報、年報など）して、基本的に公開して透明性を確保しなければいけません。公開できない記録もありますので、情報公開の範囲は私たちが納得する形で検討する必要があります。

3 責任者は総合的判断（Political Decision）による運営をする場合、決断に至る過程と理由の説明責任があります。明治以来の組織運営の基本原則であります「民はこれを由らしむべく、これを知らしむべからず」を見直さなければ、今の"後れ"を取り戻すことは困難です。

4 組織の運営手法を見直すためには、予算配分の見直しが不可欠です。

が考えられます。

無責任と忖度が根付いてしまった組織の運営を変えるためには、規則の内容を具体的な文章で明確にして裁量による部分を小さくする必要があります。業務の仕様書を作成するのです。具体的には業務を形作る作業の一つひとつの作業仕様を明示することです。たとえば、次の項目の説明を具体的なポスト名や許容できる数値を示すことで各作業が要求する内容を明確にします。

1 どの仕事を誰の指示で始めればいいのか

2 どのような手順で作業を進めればいいのか

3　どこで誰と作業を進めればいいのか

4　どのような段階で作業の完了とすればいいのか

5　いつどの段階で作業の内容を検査してもらえばいいのか

6　いつ誰が照査をすればいいのか

7　進捗状況は何をどのように記録すればいいのか

8　作業の完了にあたってどのような報告書を誰に提出すればいいのか

9　報告書は誰と誰がどのように検証すればいいのか

10　作業に不都合があったときにどうすればいいのか

　以上の説明を明確にしておくことで、作業が完了した時に完了状況の確認ができます。そして、次作業へ引き渡す前に作業の完了状況が要求に沿っていることを複数で確認した記録を残します。記録を残すことは業務の品質を保証することです。担当者による作業の裁量判断を避けて業務の品質を保証するために、作業ごとの仕様要求を具体的に示す作業仕様書が必要になるのです。組織運営が求める本質は、組織の"意思決定"にあります。決定権を持つ者が決定を下すときは責任が伴いますので、ポストの権威は明確にしておかなければなりません。フェアな決定をするための基本条件は、作業手順を検証してポストごとの義務（作業内容）と権威（作業責任）の明文化です。規則を具体的な文章で明確にすることは、規則が抽象的な文章で担当者の裁量で業務が執行される状態を合理的に減らすことができます。規則や仕様書を具体的な数値で明確にすることは

"後れ"を取り戻す"はじめの一歩"になります。

　組織を運営する「コトの営み」の技術は新しいものではありません。「コトの営み」の技術が示すのは各ポストの義務と責任、業務の執行規則、業務手順を明確にして、個人の裁量による運営を避ける方法です。業務の裁量範囲をできる限り小さくして、ポストの責任を明確にすることによって組織の運営が第三者の信頼を得る手法です。「コトの営み」の技術に基づく業務の執行は、第三者の納得感が期待できるので組織の信頼度を増すことができます。どの組織も人が運営しますから間違いは避けられません。もし間違ったとしても「コトの営み」の技術に沿って修正すれば、フェアな業務執行で不祥事や不都合を避けることができます。組織の信頼を取り戻して、より良い明日の社会を目指すことです。変化を恐れて"現状維持こそベスト"では後れるばかりです。「組織運営の技術」の習得に遅すぎはありません。今一歩を踏み出せば"後れ"は取り戻せます。

4.2 私たちのウリ

　私たちが持つソフトパワーの発揮がカギです。

4.2.1 自然とコトの文化

　日本の文化は豊かな自然と四季にはぐくまれてきました。私たちの伝統的な「タテ社会」を支えてきたのは、一人ひとりが持つ「モノつくり」のウデと「コトの営み」のワザをシンクロさせる生活の知恵です。私たちの知恵の源であるソフトパワーは、ウリをたくさん生みだしてきました。日本には春は桜、夏は祭り、秋は紅葉、冬は雪山の四季折々の景色があります。里山と海辺（海岸）があり、親切丁寧でおだやかな人が暮らしていることは私たちのウリです。日本人なら誰もが受け継いでいるソトの人に対する親切な“おもてなし”と丁寧な仕事をする“責任感”は世界に誇る私たちの財産です。

　江戸時代の移動が厳しい中でも、藩（国）を越えて旅する人がいました。他国の人が訪れて来ると、村の人は見知らぬ国から来た旅人をもてなしました。村人が旅人に親切丁寧な“おもてなし”を施すことは藩の誇りでしたから、彼らは見知らぬ人に丁寧な対応をしました。藩は国で領内はウチ、他藩はよその国でソトという見方でしたから、ソト（他国）の方が訪ねてくれば“おもてなし”をしたのです。今でも勤めている会社を“ウチは……”という言い方をします。“社員は家族だ”と言われる経営者の方も少なくありません。

"おもてなし"を受けた人の一人に松尾芭蕉がいました。松尾芭蕉は関東、東北、北陸、近畿、中部地方を旅しました。彼は訪れた村に滞在し、村人たちの親切丁寧な"おもてなし"に感謝しながら俳句を詠みました。外国の旅行者が日本の人に親切をしてもらったという話はよく聞きます。一方で"日本人は親切だけれどもやさしさが足りない"という話を聞くのは残念なことです。

　"責任感"は忠誠心といってもいいかと思います。"責任感"は「武士道」の中で育まれて私たちのDNAに刷り込まれた精神です。私たちが周りに示す"責任感"は自分自身の心の中に"責任感"があるからです。戦国時代の下克上や裏切りの時代から、江戸時代の平穏な世が続く中で藩は殿様を主人として家臣は全員が家族のようにふるまいました。家臣は殿様に忠誠心を誓って、どこまでも家臣としての責任を果たそうとしました。ウチに対する"責任感"を極限まで示したのは大石内蔵助でした。ウチに対する"責任感"は勤務態度にも表れます。私たちの"責任感"はどのような仕事を担当しても、丁寧な仕事を心がけます。誰かが見ていようとも見ていなくとも丁寧な仕事をします。士農工商の身分制度があった江戸時代で、それぞれが生きる道は与えられた仕事を丁寧にすることに尽きたと思われます。特に、職人は丁寧な仕事を心がけてワザを磨き、同時に心を磨いてきました。日本の職人が作るモノはすべて工芸品や着物、酒に限らず外国人の興味を引いています。

　最近の若者が町や村おこしに活躍を始めたことには勇気

づけられます。地方再生の"はじめの一歩"は職場の提供です。人が集まればいろいろな文化が発展します。首都圏では得られない環境の下で仕事をして、質の高い文化が享受できるとしたら、首都圏に住んで首都圏で働く理由があるでしょうか。首都圏に用事があれば新幹線を利用すればいいのです。地方に住んで、穏やかな生活が営めるとすれば、都会へ出て行く必要がありません。穏やかな生活とは十分に暮らしていける職があって、子育てに必要な施設があり、教育環境が整っていて病院があり、高齢者が暮らせるということです。

　インターネットの発達は住む場所を選ばなくなり、IT産業で働く方たちは場所を選びません。必要なのは首都圏と同様に職があることです。全国どこでも必要な職場は保育と教育と介護です。病院も必要です。これらの職に就く人が、都会と同じレベルの収入を得られることができれば人は集ります。地方に住んでも職があり生活に十分な収入が見込めるならば空気が悪く、道路が渋滞し、人混みの激しい都会に住む必要はありません。地方に職を求めて農業や漁業、林業などの第一次産業に興味を持つ人が出てきます。首都圏同様の文化が享受できれば都会脱出を考える方たちが出てきます。私たちが誇る自然と人の営みは、新型コロナウイルスの発生を機に見直されています。

　近ごろ、若者たちが日本の四季折々の自然や伝統文化に興味を持ち始めたことは新しい息吹を感じさせます。新しい空気が流れ始めているのです。日本を訪れる外国人たち

が興味をそそられるのは日本の自然や文化です。富士山と温泉などの自然と職人が織りなす日本の文化はウリです。「コトの営み」が届ける文化は、日本製品以上に私たちのウリです。具体的には四季折々の風景、ファッションやアニメの創作、伝統的な日本食と料理人、伝統工芸に携わる制作者や職人などのウデとワザです。

　伝統的な「タテ社会」から新しい「タテ社会」へ進むために、私たちが持っているソフトパワーを再評価する必要があります。社会の新しい運営手法を見直したり、規則を改正したりすれば、今と同じ仕事をより少ない時間とより少ない人数でできるようになります。「場」より「資格」を少しだけ優先させて新しい分野に進出すれば、働く場所が増やせます。日本を元気にするのは私たちがたくさん持っている日本のウリです。ウリを伸ばすために欠点を直そうとするばかりではなく、社会がウリを重点的に支援するときです。また、新しい分野にチャレンジする人を社会が厚くサポートするときです。

おわりに

　最近、日本がいろいろな面で先進国から後れていること
を指摘する報道が増えています。先進国とは思えないよう
な事象が明らかになってきたのです。たとえば、一人当た
りの国民総所得（GNI）をはじめとして女性の社会進出状
況、環境問題、発電分野における自然エネルギーの利用状
況など、数多くの先進諸国並みとは言えない分野について
報道されるようになりました。いろいろな分野で次々と世
界初とか世界一が発表された高度成長期が懐かしくなる時
代になったのです。社会は進んでいますから、生活を最小
限の変化に留めておくことは、客観的に見ると進み具合は
遅く進歩しているようには見えません。東南アジアの国々
は日々進化して発展していますから、相対的に日本が停滞
しているように見えてしまうのです。現に、韓国をはじめ
東南アジアの国や地域は多くの分野で日本の先を行ってい
ます。

　若者の間で現在の生活を変えたくないという風潮があり
ます。選挙の投票率が低いことは、今の社会状況を端的に
表しているといえます。現状に満足しているわけではあり
ませんが、自分の生活は変えたくないし、変えてほしくな
いという空気が若者たちの間に流れているのです。彼らは
将来への不安を抱えてはいますが、どちらかというと現状

の不満に対して声を大にしてあげることはしません。単に現状維持を志向しているというのとは違うようですが、あまり他から強制させられることを好まないので、自分の生活は変えてほしくないし、変えたくないという気分の人が多いようです。彼らは成長しない日本しか知りませんし、新しい風を避けるような教育しか受けてきませんでした。自ら社会をより良くしようと積極的に活動する人は多くはありません。よりよい社会を作るのは誰かよその人の仕事なのです。こうした状況にあっても、社会運営の責任者たちは既得権にあぐらをかいて、改革をしているふりをするばかりです。彼らは長い年月を経て得た居場所を失いたくないばかりに、良くも悪くも伝統さえ守ればいいと思っているようにみえます。

　不祥事で責任者の頭を下げる姿がたびたび報道されています。たとえば、記録の改ざん、安全を無視した事故、減らない詐欺行為、改善されなかったコロナ禍への対応など。繰り返し起きる不都合の原因の一つには、誰も責任をとらなくても時がたてば済んでしまう組織の運営に問題があるからです。現在の「タテ社会」の運営は、組織が持っている人と時間のリソースを内向き対策のために使いすぎています。世界の流れに沿って先へ進むためには外向きの力が必要です。私たちが持つ力の発揮を阻害する運営が"後れ"を招いているからです。ずさんな計画、残さない業務執行記録、耳に心地よい報告、出席者が多く無責任な形式的会議など、責任者があいまいな基準による総合的判断（Political Decision）に基づいた運営を続ける限り不祥事は繰り返し"後れ"は取り戻せません。

　議院内閣制のもとで日本のかじ取りをする政府と政策執行の実務を担う官僚は、相変わらず裁量と忖度、地位に頼った手法で社会を運営しています。彼らは執行責任者の義務と責任の範囲を明確に示さずに、裁量範囲を広く大きく解釈しています。彼らは政策を総合的判断で結論を下して責任は取りません。しかし、総合的判断を下す場合は、決定過程を明確な基準に基づいて説明しなければいけません。責任者の権利は説明責任を果たしてから、初めて裁量の行使が認められるのです。

　最近は、若くて優秀な人材が永田町や霞が関に留まらず、丸の内の民間からも減ってきています。所属先の文化に染まるまでは一人前の仕事をやらせてもらえず、働く時間ばかりが長い組織に彼らは魅力を感じていません。こうした状況においても、組織の運営手法を変えようとしない責任者たちが社会をリードする限り、ますます先進国からは後れるばかりです。職場の魅力を取り戻すためには、伝統的な"力"に頼る組織の運営から、誰もが義務と責任の名において対等の立場で仕事ができて、同じような結果が出せる組織運営へと運営手法を見直す必要があります。

　昨日と違うことを始めれば、多かれ少なかれ副作用はあるものです。副作用のない特効薬はありません。日本銀行が導入した"バズーカ砲"と呼ばれた異次元の金融緩和策がいい例です。10年分の副作用が明らかになりつつあります。

今の停滞感を吹き飛ばして成長モードへ入るためには、金融緩和を続けることではなく次の二つを達成しなくてはなりません。一つ目はタテ社会の空気を変えて平等、公平、公正な社会を目指すことです。二つ目は「組織運営の技術」に必要な記録、計画、報告、会議の4要素の詳細を確立して、私たちが「コトの営み」の技術を共有することです。

　私たちが学校時代に経験したように、勉強の後れを取り戻すためには相当の努力をもってしても3倍の時間がかかります。"3周後れ"を取り戻すためには、努力に努力を重ねても100年かかるかもしれません。詳細な戦略目標を立てて定期的に戦術を検討しながら、今一歩を踏み出せば遅すぎるということはありません。まず「タテ社会」に流れる空気を変えて、新しい雰囲気のもとで基礎をしっかり固めることから始めてはいかがでしょうか。すでに新しい空気は流れ始めているのですから。

「どうする、ニッポン」

2023年夏
猛暑の桶漕庵にて
秋葉純次郎（技術士、建設部門）

146

【著者紹介】

秋葉純次郎

岡山県出身の神戸育ちで現在は埼玉県在住。東京教育大学（筑波大学）卒の技術士（建設部門）。土木学会を始めとして、いろいろな学会への報告論文を多数発表。東洋大学で学外講師を務めた。長らく海外で国際契約に基づく地下鉄や飛行場などの大型建設プロジェクトに携わった。数々の契約上の紛争案件では友好的に交渉を進めて和解による合意へ導いてきた。帰国後はインド、ミャンマー、ウクライナの案件で国際契約に基づく入札図書を作成した。現在も海外の大型プロジェクトに関わっている。

どうする、ニッポン
失った30年とコロナ後の社会

2023年10月17日　第1刷発行

著　者　秋葉純次郎
　　　　あきばじゅんじろう

発行者　太田宏司郎

発行所　株式会社パレード
　　　　大阪本社　〒530-0021　大阪府大阪市北区浮田1-1-8
　　　　　　　　　TEL 06-6485-0766　FAX 06-6485-0767
　　　　東京支社　〒151-0051　東京都渋谷区千駄ヶ谷2-10-7
　　　　　　　　　TEL 03-5413-3285　FAX 03-5413-3286
　　　　https://books.parade.co.jp

発売元　株式会社星雲社（共同出版社・流通責任出版社）
　　　　〒112-0005　東京都文京区水道1-3-30
　　　　TEL 03-3868-3275　FAX 03-3868-6588

印刷所　創栄図書印刷株式会社